Et si la Méchante Reine avait empoisonné le prince?

Disney

Et si la Méchante Reine avait empoisonné le prince ?

Un jour ma princesse viendra

TWISTED TALE

JEN CALONITA

Traduit de l'anglais par Laurent Laget

hachette
HEROES

58, rue Jean Bleuzen – 92178 Vanves Cedex

Direction : Catherine Saunier-Talec

Directeur éditorial : Antoine Béon

Responsable artistique : Cécila Rehbinder

Édition : Élodie Dureu

Traduction : Laurent Laget

Correction : Fabienne Riccardi

Mise en pages intérieure : Noémie Fior (Nord Compo)

Couverture et typographie : Jim Tierney

Fabrication : Anne-Laure Soyez

Achevé d'imprimer en Italie par Grafica Veneta en Octobre 2023

Dépôt légal : mai 2020

10-7012-1/03

ISBN : 978-2-01-945197-4

Maman, merci d'avoir convaincu la petite fille
de six ans que j'étais de monter dans l'attraction
Snow White's Scary Adventures à Walt Disney World,
même si j'avais peur de la Méchante Reine. (Ça a payé !)
— J. C.

Prologue

Le château paraissait différent de l'extérieur.

Ce fut la première impression de la princesse. Elle avait le sentiment de ne pas l'avoir vu depuis des années, bien que cela ne fasse que quelques semaines en réalité. Elle avait la gorge serrée en observant la monstruosité dressée au sommet de la colline. Ces murs renfermaient tant de fantômes et de souvenirs de sa vie perdue.

Mais tout pouvait encore changer.

S'ils accomplissaient la tâche qu'ils s'étaient fixée, ils pourraient réussir. Le château et son trône pourraient redevenir les flambeaux du royaume. Pour cela, la princesse devait affronter ce qui se trouvait à l'intérieur. Elle devait réprimer son instinct qui la poussait à fuir le plus loin possible.

— Dépêchons-nous. Il ne reste que peu de temps avant le début des célébrations.

Anne coupait les buissons en travers du chemin qui les mènerait directement au village sans être vues. La princesse accéléra le pas derrière son amie.

Elle rentrait chez elle. Depuis le temps, cet endroit lui paraissait étranger, mais c'était bien son château. Du moins, il l'avait été, autrefois.

Si elle se concentrait suffisamment, elle parvenait à revoir les lieux de son enfance. Le royaume était resplendissant et aimé de tous. Le château faisait la fierté du peuple (qui en avait posé chaque pierre, après tout). Le lierre ne se hissait pas aux remparts. Chaque buisson, chaque arbre, chaque fleur était soigneusement entretenu. La volière était emplie du chant des oiseaux. Les fenêtres étaient étincelantes. Le lac miroitait au pied de la colline tandis que les visiteurs arrivaient d'autres rives, le cœur plein d'espoir. Les portes du château étaient ouvertes en permanence, et les invités de dernière minute étaient accueillis à bras ouverts.

Les choses avaient bien changé. Les fenêtres étaient sombres, les rideaux toujours tirés. Le palais semblait abandonné. Les eaux étaient lisses comme le verre ; aucun navire n'osait plus franchir les frontières du royaume. Les portes, rouillées et dégondées, restaient closes. À l'exception de quelques patrouilles, le domaine était désert. Le renouveau de son royaume n'était qu'un lointain souvenir.

Lorsque le roi Georg et la reine Katherine régnaient, ils dirigeaient leur province d'une main bienveillante. Les terres étaient fertiles et cachaient une intarissable mine de diamant. Le couple royal célébrait cette ère prospère avec d'innombrables fêtes dans la cour du château. Les sujets de tous les milieux y affluaient gaiement. Lorsqu'elle fermait les yeux, la princesse se revoyait portée dans les airs parmi d'autres danseurs, au son des violons.

Ces mélodies joyeuses s'évanouirent bien vite, remplacées par le bruit des branches coupées par Anne.

La princesse avait passé bien trop de nuits et de jours à se languir qu'on la libère de cette forteresse. Elle avait vécu si longtemps sans amour, sans rire, sans distraction. Peut-être était-ce pour cela que, malgré la splendeur du château, elle l'avait toujours trouvé terne. Elle avait accepté son sort, elle s'en était accommodée. Mais plus maintenant.

Ce ne fut qu'une fois à l'extérieur des murs que la réalité l'avait frappée : elle était la seule à pouvoir se libérer. C'était pour cela qu'elle revenait aujourd'hui : pour reprendre ce qui lui appartenait. Le trône, le château, la province. Elle le faisait pour son propre bonheur, mais aussi pour celui de son peuple.

Il était temps d'agir. Elle avait voyagé loin, elle avait pris des risques et elle avait puisé dans des ressources qu'elle ignorait posséder. La reine Ingrid n'avait jamais été très populaire, mais sous son règne, l'indifférence du royaume s'était peu à peu transformée en terreur. La princesse ne pouvait tolérer que ses sujets souffrent ainsi. L'heure était venue.

— Là ! s'exclama Anne, qui fit apparaître le soleil en taillant les dernières branches. Voici la route. Un peu plus loin, nous pourrons passer les portes du château près de l'échoppe du boucher sans être vues. La reine a exigé que tout le monde assiste aux célébrations, donc il devrait y avoir du monde près des portes.

La princesse serra l'épaisse cape brune qu'Anne lui avait confectionnée. L'étoffe était devenue son bien le plus précieux. Non seulement elle lui tenait chaud, mais le jacquard lui rappelait les manteaux de voyage de sa mère. D'une certaine manière, elle avait l'impression que sa mère l'accompagnait, ou au moins qu'elle s'assurait que la princesse s'entoure des bonnes personnes. Elle était reconnaissante envers Anne et tous les sujets qui l'avaient aidée. Leur bonté ne serait pas oubliée.

Elle se tourna vers son amie :

— N'aurons-nous pas plus de difficulté à entrer ?

— N'ayez crainte, lui répondit-elle en lui prenant les mains. Vous aurez bien moins de mal que le prince Henrich et moi ce matin. Vous passerez complètement inaperçue dans la foule.

— Tu as des nouvelles d'Henri ?

Anne secoua la tête.

— Je suis sûre qu'il va bien. Nous en aurions entendu parler, sinon. Mais c'est pour *vous* que je m'inquiète. Lorsque vous aurez franchi les portes, tout le monde vous reconnaîtra.

Vous devez vous réfugier à l'intérieur avant de vous faire remarquer. Nous devrons faire vite pour vous conduire jusqu'à votre amour. Il vous attend.

« Votre amour. » Ces mots firent sauter un discret sourire sur ses lèvres. Henri et elle avaient traversé bien des épreuves ces derniers temps, et encore plus durant la semaine écoulée. Elle pressa le pas.

Comme Anne l'avait prédit, la route menant au village était déserte ce matin-là. Pas un chariot ne roulait, pas un voyageur ne marchait, bien que le sol soit marqué de nombreuses empreintes. Elle s'attendait à ce que des soldats surveillent l'entrée, mais le poste de garde était lui aussi abandonné quand Anne et elle passèrent les portes. Une déclaration avait été clouée à un poteau. Elle la lut rapidement en marchant :

Sa Majesté la reine Ingrid exige que tous ses loyaux sujets se joignent à elle dans la cour du château, ce jour à midi. En vue de cette occasion historique, tous les établissements du village fermeront leurs portes. Toute absence sera remarquée.

Elle frissonna. Anne avait raison : la « fête » était bel et bien obligatoire. C'était inhabituel. L'insistance de la reine Ingrid n'avait rien de surprenant, mais il n'y avait pas eu de réjouissances officielles depuis des années. Les habitants craignaient tant leur reine qu'ils évitaient d'attirer l'attention. Ils passaient leurs journées tête baissée, à se mouvoir dans l'ombre. Et voilà qu'ils étaient contraints et forcés de sortir de leurs tanières pour assister à une grande fête – si c'était bien de cela qu'il s'agissait. À quoi jouait donc la reine ?

Elles avancèrent en silence sur la route poussiéreuse qui traversait le village. La princesse avait passé du temps dans ces rues, mais le calme qui y régnait ce matin-là la surprenait. Les petites maisons aux toits de paille qui bordaient la grand-rue étaient toutes fermées. La cloche du monastère sonnait solennellement pour marquer la mi-journée, mais il n'y avait personne pour l'entendre. De toute évidence, les habitants avaient pris très au sérieux l'avertissement de la reine Ingrid.

Elle soupira bruyamment. Anne se tourna vers elle.

— Vous n'êtes pas obligée d'y aller seule, vous savez ? Je peux vous accompagner, vous et le prince, et me battre !

— Non. J'apprécie tout ce que tu as fait pour nous, mais c'est une partie du voyage que je dois faire seule.

Anne la scruta du regard. Elle s'apprêtait à protester quand elles furent interrompues par des cris. Un homme se précipitait vers elles, les traits déformés par la terreur.

— La reine est une sorcière ! N'allez pas sur la place. Courez ! Fuyez ! Ou la reine Ingrid vous maudira aussi.

Anne semblait effrayée. La princesse fut si surprise qu'elle eut du mal à comprendre les propos de l'homme. Qu'avait bien pu infliger la reine à son peuple ? Elle se rua vers la place du village.

Anne la suivit :

— Attendez ! Vous avez entendu ? C'est peut-être un piège !

Elle n'avait pas le choix, même si la reine soupçonnait sa présence. Au fond d'elle, elle sentait qu'un grand mal se tramait. Elle devait en avoir le cœur net.

En approchant du château, elle vit que tout le village était rassemblé dans la cour. Les têtes se levaient et se baissaient pour essayer d'apercevoir ce qui se trouvait derrière les grilles fermées. L'ambiance était loin d'être à la fête. Les villageois s'agitaient pour trouver la meilleure place. Certains criaient et s'emportaient, d'autres soulevaient leurs enfants sur leurs épaules. Anne et la princesse peinaient à voir quoi que ce soit.

— Ne regarde pas ! s'écria une mère à son jeune garçon. On doit partir tout de suite, avant que ce soit notre tour !

— Quelqu'un sait qui c'est ? demanda un autre.

— Du gratin, si vous voulez mon avis.

La princesse se fraya un chemin à travers la foule jusqu'aux premiers rangs, Anne accrochée à son bras.

— Excusez-moi. Puis-je passer ? répétait-elle.

Mais les habitants continuaient de faire les yeux ronds, de bavarder et de scruter sans se soucier d'elle.

— C'est de la sorcellerie, je vous le dis !

— Un avertissement ! Personne n'a intérêt à l'énerver !

— Il dort ou il est mort ?

— Il ne bouge pas. Il est sûrement mort.

Il ? La princesse joua des coudes, oubliant subitement toute l'éducation qu'elle avait reçue il y a si longtemps pour atteindre les grilles et voir enfin de quoi tout le monde parlait. Quand elle y parvint, elle souhaita ne jamais être venue.

— Non ! s'écria-t-elle en se libérant d'Anne pour s'accrocher aux barreaux.

C'était Henrich. Son Henri. Il était allongé dans ce qui ressemblait à un cercueil de verre perché sur un autel. Ses yeux étaient clos. Il était paré de ses plus beaux atours. Son visage semblait paisible. Au creux de ses mains se trouvait une unique rose blanche. C'était un message pour elle, à n'en pas douter. Était-il mort ? Elle devait le savoir.

— Attendez, fit Anne alors que son amie poussait les grilles et se faufilait si vite que les gardes ne purent l'arrêter. Attendez !

— C'est la princesse ! cria une voix.

Elle ne s'arrêta pas. Elle se fichait d'être vue. Elle monta précipitamment les marches et se pencha sur le cercueil. Elle ouvrit lentement le couvercle de verre.

— Henri ! Henri ! s'écriait-elle, mais le prince restait immobile.

Elle lui prit les mains. Elles étaient encore chaudes. Elle posa sa tête sur la poitrine d'Henri. Derrière elle, des cris et des pleurs s'élevaient de la foule.

— C'est elle !

— Elle est revenue nous sauver !

— Princesse, délivrez-nous !

Elle ignora les cris. Elle se concentra sur le seul son qui comptait pour elle : les battements d'un cœur. Du cœur d'Henri.

Avant qu'elle ne puisse l'entendre, elle fut arrachée de l'autel et retournée. Elle reconnut aussitôt l'homme râblé qui la tenait.

Il sourit. Sa dent en or brillait.

— Emmenez cette traîtresse devant la reine Ingrid. Elle l'attend.

Elle garda la tête droite tandis que l'homme la conduisait devant Anne et les villageois. Il lui murmura cinq mots à l'oreille :

— Bienvenue chez vous, Blanche-Neige.

Blanche

Dix ans plus tôt.

Les flocons tombaient doucement et recouvraient la terre gelée autour du château. Quand elle sortait la langue, elle sentait le doux picotement des cristaux. Ces petites gouttes de glace portaient le même nom qu'elle : Neige. Blanche-Neige.

Était-ce la neige qui lui avait donné son nom, ou elle qui avait donné le sien à cette pluie blanche ? Elle l'ignorait. Après tout, elle était une princesse, il n'était donc pas insensé que la neige porte son nom.

Mais, évidemment, la neige existait bien avant elle. Elle n'avait que sept ans.

— Quelle est cette odeur ? demanda sa mère, tirant la jeune Blanche de ses pensées.

La petite fille s'aplatit contre le muret du jardin pour ne pas être vue. Elle était parfaitement silencieuse.

— C'est sucré, alléchant... Y aurait-il une petite oie dans le jardin avec moi ?

Blanche gloussa.

— Mère, il n'y a pas d'oies au château en hiver ! Elles s'envolent vers le sud. Tout le monde sait ça !

— Tout le monde sait aussi que si tu parles en jouant à cache-cache, tu risques de perdre !

Sa mère fit une pirouette et pointa un doigt vers elle.

— Trouvée !

Elle n'était sans doute pas très objective, mais Blanche estimait que sa mère était la personne la plus merveilleuse au monde. Père disait qu'elle lui ressemblait, et si c'était vrai, elle en était ravie. Sa mère avait de doux yeux noisette et des cheveux d'ébène qui étaient, ce jour-là, tirés en chignon. Elle avait retiré sa couronne préférée – il était rare qu'elle la garde quand elles jouaient dans le jardin, surtout en plein hiver –, mais elle la remettrait dès qu'elles rentreraient, dans quelques minutes. Sa mère devait se préparer pour la grande mascarade annuelle du château. Blanche était trop jeune pour y participer et devait souper dans sa chambre, avec sa nourrice. Elle avait horreur de se savoir exclue. Elle aurait tant voulu participer au bal, elle aussi. Elle préférait la compagnie de sa mère à celle de quiconque.

— Je viens te chercher ! chantonna la reine en relevant la capuche fourrée de sa pelisse en velours rouge.

Blanche adorait les boutons en or de cette cape. Elle ne pouvait s'empêcher de jouer avec quand elle se tenait aux pieds de sa mère durant les processions dans le village. Elle détendait les fils et faisait enrager le couturier, mais elle se sentait à l'abri et au chaud. Les seules fois où la petite fille acceptait de s'éloigner de sa mère, c'était pour jouer à cache-cache.

— Mais tu ne m'as pas encore attrapée ! rit Blanche en s'élançant dans le labyrinthe du jardin.

Sa mère éclata de rire également.

Blanche ne savait pas quelle direction prendre. Tous les chemins se ressemblaient. Les hautes haies vertes, parfaitement taillées, ne lui permettaient de voir que le ciel blanc chargé de neige. La plupart des fleurs avaient été élaguées pour l'hiver. Les jardins habituellement resplendissants étaient dénudés et cachaient moins bien la position de Blanche. Elle savait que si elle continuait de tourner, elle atteindrait le centre du labyrinthe et la volière tant aimée de sa mère. Le dôme en fer forgé ressemblait à une gigantesque cage à oiseaux. C'était la fierté de Katherine et la première décision qu'elle avait prise en montant sur le trône. Elle s'était toujours passionnée pour les oiseaux. Différentes espèces se côtoyaient derrière les grillages. Blanche ne se lassait pas d'écouter sa mère lui expliquer les origines de ses oiseaux. Elles passaient de longues heures à admirer la volière. Blanche s'amusait à réciter le nom de chaque espèce. Son préféré était Boule-de-Neige, un petit canari blanc.

Juste au moment où Blanche contournait la haie et apercevait le dôme devant elle, Boule-de-Neige se posa sur un perchoir et la vit également. Il pépia joyeusement, révélant ainsi la cachette de la jeune fille. Ce n'était pas grave. Parfois, le plus amusant à cache-cache était de se faire attraper.

— J'arrive ! prévint sa mère.

Blanche rigola de plus belle. Son souffle se transformait en volutes blanches dans l'air froid. Elle entendit les pas de sa mère qui approchait et courut se réfugier de l'autre côté de la volière. Mais elle ne prit pas garde - Mère lui disait tout le temps de faire attention - et elle sentit ses pieds se dérober sur une plaque de glace. Blanche chuta et glissa droit vers un rosier.

— Aïe ! cria-t-elle en s'extirpant du buisson épineux qui s'accrochait à sa cape et à sa peau.

Blanche vit alors une goutte de sang rouge perler dans sa paume pâle. Elle se mit à pleurer.

— Blanche ! Tu vas bien ? Tu t'es fait mal ?

La reine rejoignit sa fille. Elle se pencha sur elle. La vision de Blanche se troubla, comme si la neige avait redoublé d'intensité. Malgré ce voile blanc, elle distinguait encore les yeux sombres de sa mère, qui l'étudiaient intensément.

— Tout va bien, Blanche. Tout ira bien.

Elle lui prit la main, tira son mouchoir brodé de sa poche et le passa sur la neige. Puis elle le pressa contre la main meurtrie de la petite fille. Le froid atténua instantanément la douleur de la piqûre. La reine noua fermement le mouchoir autour de sa main.

— Voilà. Ça va mieux ? On nettoiera tout ça en rentrant.

Blanche boudait.

— Je hais les roses ! Elles font mal !

Sa mère sourit. Sa silhouette s'adoucit en même temps que sa voix. Elle semblait lointaine.

— En effet, leurs épines peuvent nous blesser.

Elle cueillit une rose rouge. Elle était pétrifiée par le froid et la neige, mais parfaitement préservée. Elle n'avait rien perdu de sa couleur écarlate. Blanche l'observa minutieusement.

— Mais tu ne dois pas avoir peur de toucher du doigt la beauté, même s'il y a des épines. Il faut parfois prendre des risques pour obtenir ce que l'on souhaite. Et si tu y arrives (elle tendit la rose à Blanche), tu en récolteras les plus beaux fruits qui soient.

— Vous ne devriez pas être là, Votre Majesté. Vous êtes déjà en retard.

Blanche leva la tête. La sœur et demoiselle de compagnie de la reine, sa tante Ingrid, les dévisageait d'un air sévère, presque furieux. La petite fille ne connaissait que trop bien ce regard.

Blanche se réveilla en sursaut. Elle s'assit dans son lit, cherchant son souffle.

— Mère ! s'écria-t-elle.

Mais personne ne l'entendit. Il n'y avait plus jamais personne pour lui répondre. Seul le silence l'accueillit.

Elle essuya la sueur de son front d'un revers de manche. Ces visions devenaient de plus en plus fréquentes. Était-ce encore un rêve qui avait viré au cauchemar ou s'agissait-il d'un vrai souvenir ? Elle n'en était pas sûre. Elle avait dix-sept ans, désormais. Cela faisait plus de dix ans qu'elle n'avait pas revu le visage de sa mère.

Elle voyait très peu sa tante, également. Comme tout le monde au château. Ingrid s'était recluse, et quelques rares élus seulement faisaient partie de son entourage. Sa nièce, qu'elle élevait à contrecœur, n'avait pas ce privilège.

Tante Ingrid lui apparaissait toujours de la même manière, dans ses rêves. Peut-être parce que les rares fois où Blanche la croisait dans les couloirs du château, elle était vêtue de ses habituelles robes. Tous ses atours étaient parfaitement coupés dans les plus beaux tissus que le royaume avait à offrir, et uniquement dans des nuances de violet, du mauve au pourpre. Le château était parcouru par de nombreux courants d'air, et sans doute était-ce pour cette raison qu'Ingrid ne se déparait jamais de sa lourde cape sombre qui ondulait autour d'elle comme un serpent. Blanche ne se rappelait pas quand elle avait vu les cheveux de sa tante pour la dernière fois (elle en avait même oublié la couleur), puisque celle-ci portait constamment une coiffe serrée qui mettait sa couronne en valeur.

Blanche, pour sa part, n'avait pas eu de nouvelle toilette depuis fort longtemps. Elle ne s'en souciait guère – personne ne la voyait –, mais, parfois, elle aurait aimé avoir une robe qui ne lui tire pas les épaules ou qui lui recouvre les chevilles. Elle portait deux tenues en alternance, toutes deux maintes fois reprisées. Elle avait rapiécé sa jupe bordeaux, qu'elle avait elle-même cousue dans de vieux rideaux, plus souvent qu'elle ne pouvait s'en souvenir. Elle n'avait même plus de chutes de tissu pour la raccommoder, désormais, et sa jupe était devenue un arc-en-ciel ponctué de pièces beiges et blanches pour recouvrir les accrocs et déchirures provoqués par les marches de pierre ou les rosiers.

Les roses. Qu'avait dit sa mère au sujet des roses, dans son rêve ?

Elle ne s'en souvenait pas. Le songe commençait déjà à s'évanouir. Tout ce qu'elle voyait, c'était le visage serein de sa mère. Il était sans doute préférable de laisser ce souvenir vivre sa vie. Elle avait fort à faire.

Blanche s'extirpa de son lit. Elle se dirigea vers la grande fenêtre de sa chambre et tira les épais rideaux. Elle avait résisté jusqu'à présent à l'idée de s'en faire une cape chaude, mais si l'hiver suivant était aussi rigoureux que le précédent, elle n'aurait peut-être plus le choix. Elle laissa la lumière du soleil inonder la pièce et observa la cour.

L'été battait son plein et offrait aux pierres vieillissantes un éclat bienvenu. Si le château s'était indéniablement dégradé ces dix dernières années, elle ressentait néanmoins une grande fierté à la vue des jardins et de la volière de sa mère. Elle avait taillé les haies pour leur conférer une forme nette. Elle avait bêché les parterres et retiré les mauvaises herbes. Des fleurs fraîches étaient suspendues à de petits vases en argent et donnaient vie au mur de brique. Elle se félicita d'avoir taillé le lierre qui menaçait d'envahir tout le château. Bien sûr, elle ne pouvait pas dégager tous les murs, mais à hauteur du sol, la pierre était de nouveau visible, quand bien même elle aurait eu besoin d'être sérieusement récurée. (Elle ajouterait cette tâche à sa liste.) Elle ne pouvait qu'imaginer à quoi ressemblait le palais vu de l'extérieur. Sa tante lui interdisait de quitter le château. Elle prétendait que c'était pour sa sécurité, mais la jeune femme se sentait prisonnière. Au moins était-elle autorisée à aller et venir dans le domaine comme elle l'entendait.

Le jardin, où elle pouvait humer l'air frais au lieu d'être cloîtrée entre quatre murs, était son havre de paix. Elle n'avait pas le droit de parler aux rares gardes que sa tante employait encore, mais le simple fait de croiser quelqu'un dans les couloirs du château l'aidait à se sentir moins seule. Ingrid lui avait aussi interdit toute apparition publique depuis plusieurs années. La reine elle-même ne se montrait jamais et n'accueillait plus de visiteurs. Blanche se demandait parfois si le royaume se souvenait qu'il avait une princesse. Mais elle n'avait personne à qui poser la question.

Alors, elle faisait de son mieux pour occuper ses journées. Quand elle commençait à trouver le temps long, elle repensait à tout ce qu'elle avait perdu depuis dix ans. Sa mère adorée, la reine Katherine, avait succombé si vite à sa maladie que Blanche n'avait même pas eu le temps de lui dire adieu. Son père, trop affairé pour la consoler, était tombé dans les bras de tante Ingrid, qu'il avait rapidement épousée. À en croire les bruits de couloir que Blanche entendait, il s'agissait d'un mariage de convenance plus que d'amour. Elle supposa que son père avait voulu lui offrir une figure maternelle, et Ingrid était ce qui s'en approchait le plus. Mais elle était loin d'être une mère pour Blanche. La jeune fille avait également remarqué que son père n'avait plus jamais souri comme il le faisait auprès de Katherine.

C'était peut-être la vraie raison pour laquelle il était parti quelques mois plus tard : il avait le cœur brisé. Du moins, Blanche essayait de s'en convaincre. Elle ne voulait pas croire à l'histoire que tante Ingrid racontait à tout vent : le roi avait perdu la raison. Sans Katherine pour l'aider à gouverner le royaume, le roi Georg s'était laissé accabler par le chagrin. Un jour, Blanche avait entendu sa tante expliquer à la cour que Georg parlait à Katherine comme si elle était encore en vie, ce qui n'avait pas manqué d'effrayer gardes et serviteurs – et Blanche elle-même. Mais en y repensant, elle n'avait jamais surpris son père en train de parler à des fantômes.

Elle l'avait vu pour la dernière fois dans la volière. Elle s'était faufilée hors de sa chambre pour s'occuper des oiseaux de sa mère. Elle avait alors senti une présence et, quand elle s'était retournée, elle avait découvert son père qui l'observait, les yeux humides.

— Tu ressembles tant à ta mère, avait-il dit d'une voix rauque, en lui caressant doucement les cheveux. Je suis désolé qu'elle ne soit pas là pour te voir grandir.

— Ce n'est pas ta faute, papa, avait répondu Blanche.

Les larmes s'étaient alors mises à perler franchement sur les joues du roi. Il s'était agenouillé, l'avait prise par les épaules et l'avait regardée droit dans les yeux.

— Ne commets pas les mêmes erreurs que moi, Blanche. Ne te laisse pas aveugler par l'amour. Il n'arrive qu'une fois. Aie confiance en ton instinct. Aie confiance en ton peuple. Mais, surtout, aie confiance en tout ce que ta mère t'a enseigné. Laisse son esprit te guider quand tu monteras sur le trône.

Il avait pris le visage de sa fille entre ses mains.

— Un jour, tu seras une reine remarquable. Ne laisse personne te convaincre du contraire.

— C'est promis, papa.

Mais les mots de son père l'avaient inquiétée. Ils ressemblaient à des adieux.

Le lendemain matin, il avait disparu.

Elle ne s'en était pas aperçue immédiatement. Ce n'est que lorsqu'elle avait été habillée et qu'elle s'était rendue dans les appartements de son père pour prendre le petit-déjeuner avec lui qu'elle avait entendu des domestiques parler de la disparition du roi. La reine Ingrid, récemment couronnée, avait été appelée pour des « affaires urgentes » et n'avait pu expliquer la situation à Blanche. La jeune femme avait appris la nouvelle en écoutant deux gardes bavarder.

— La reine dit qu'il est fou. Qu'on est mieux sans lui. C'est plus pareil depuis que la reine Katherine est morte. Quel genre de roi ose s'enfuir comme ça en abandonnant sa fille ?

— Quel genre de roi ose abandonner son peuple ? avait répondu l'autre.

Blanche ignorait la réponse. Tout ce qu'elle savait, c'est qu'elle ne s'était jamais sentie aussi seule. Après le départ de son père, tante Ingrid disparut aussi, à sa manière. La nouvelle reine n'avait jamais le temps de déjeuner avec la princesse, encore moins d'étudier les volatiles de sa défunte sœur. Elle était bien trop occupée à se réunir avec ses nouveaux ministres, des hommes et des femmes que Blanche n'avait jamais vus auparavant. Tous ceux qui avaient servi son père avaient été renvoyés. Le cercle restreint des conseillers de la couronne avait été trié sur le volet par Ingrid en personne. Malgré tout, Blanche entendait les murmures concernant « la Méchante Reine », comme on la surnommait dans son dos. Sauf quand elle les convoquait personnellement, la reine ne recevait jamais de souverains en visite. Après quelques années, elle avait même complètement interdit à toute personne étrangère au château de passer les portes. La rumeur disait qu'elle craignait les traîtres, une méfiance qui sembla se confirmer lorsqu'elle renvoya la majorité du personnel, à l'exception d'une poignée de loyaux serviteurs.

La reine Ingrid demeurait toutefois une femme orgueilleuse : elle refusait de se passer des services de sa couturière personnelle, Margaret, d'une petite brigade de cuisiniers et de ses indéfectibles gardes. Mais elle ne s'était pas souciée le moins du monde d'embaucher qui que ce soit pour s'occuper de Blanche. Ainsi, la petite fille avait grandi seule dans sa grande chambre vide qui lui faisait penser à un tombeau. Être livrée à elle-même avec ses pensées aurait pu la conduire à la folie, mais elle s'occupait l'esprit en dressant de longues listes de tout ce qu'il y avait à faire dans le château.

Ce jour-là ne faisait pas exception. Blanche se détourna de la fenêtre, retira sa robe de chambre et se lava le visage à la cuvette qu'elle avait remplie au puits la veille. Elle enfila sa jupe rapiécée et lissa les plis de sa blouse blanc et brun presque assortie. Elle se glissa ensuite dans ses souliers, qu'elle avait récemment lavés. Face au grand miroir brillant – elle avait nettoyé sa chambre la veille, comme chaque semaine –, elle noua le ruban bleu qu'elle s'était confectionné à partir des chutes que la couturière de sa tante avait jetées. Satisfaite de son apparence, Blanche se dirigea vers sa garde-robe.

Celle-ci était presque vide. Les quelques robes suspendues étaient trop petites depuis bien des années. Elle les gardait pour leur valeur sentimentale, et au cas où elle en aurait besoin pour raccommoder ses vêtements. Elle détestait toutefois l'idée d'entailler son histoire – il y avait là la tenue de son septième anniversaire, ou encore la robe qu'elle portait lorsque son père avait reçu le roi de Prunham –, mais c'était parfois indispensable. Pour l'heure, ces vêtements lui rappelaient une autre vie. Et servaient de cachette parfaite. Blanche repoussa sa robe d'anniversaire et contempla le portrait caché derrière.

Les visages de ses parents, ainsi qu'une version plus jeune d'elle-même, lui retournèrent son regard. Le portrait avait été commandé juste avant que sa mère ne tombe malade. Il s'agissait du tout premier tableau de famille officiel depuis que Blanche était bébé. Il n'était resté accroché aux murs du château que quelques semaines, avant que le roi n'ordonne de le déposer. D'après les dires d'Ingrid, Georg souffrait de voir le visage de son ancienne épouse tous les jours. Blanche n'éprouvait pas la même chose : elle ne perdait pas une occasion d'observer ses parents.

Bonjour, Mère. Bonjour, Père.

Blanche avait le visage de sa mère, mais les yeux de son père, quoique d'une teinte légèrement différente. Ils dégageaient une grande bonté. La princesse essayait de s'en inspirer, malgré toutes les difficultés qu'elle éprouvait. Elle caressa délicatement la peinture rugueuse. *Père, pourquoi m'as-tu abandonnée ?* Elle essaya de faire taire l'amertume au fond d'elle. Sans attendre de réponse, elle referma sa garde-robe.

Elle se dirigea ensuite vers la double porte de sa chambre et l'ouvrit discrètement. Comme chaque matin, un plateau de pain et de fruits l'attendait. C'était sans doute l'œuvre des derniers domestiques. Blanche leur en était plus reconnaissante qu'elle n'aurait su le dire. Si le petit-déjeuner était là tous les matins, les dîners étaient plus aléatoires, puisque toute la maisonnée s'affairait pour préparer les somptueux repas de la reine. Blanche aimait descendre aux cuisines. Tapie dans l'ombre, à l'abri des regards indiscrets, elle pouvait échanger quelques mots avec Mme Kindred, la cuisinière, qui ne l'ignorait pas comme le reste du personnel.

— Je vous en prie, monseigneur, je n'ai rien mangé depuis deux jours.

Blanche s'apprêtait à ramasser son plateau quand elle entendit la complainte. Étonnée, elle se réfugia derrière sa porte entrouverte pour écouter.

— S'ils n'ont rien laissé, alors tu n'as rien.

Elle reconnaissait cette voix. C'était celle de Brutus, l'un des fidèles gardes de sa tante. L'autre voix lui était inconnue.

— Mais on m'a promis que je serais nourri deux fois par jour en prenant ce poste. Ce n'est même pas pour moi, monseigneur, je donne presque tout à ma femme et mon fils. On ne survivra pas à un troisième jour sans manger.

— Ton travail est de surveiller ces couloirs, pas de quémander un quignon de pain.

— Mais…

— Remets-tu en question le jugement de la reine ? l'interrompit Brutus. Tu sais ce qui est arrivé à ton prédécesseur, n'est-ce pas ?

Blanche jeta un coup d'œil furtif au moment où le soldat approchait son visage de celui du jeune homme.

— Personne ne l'a plus jamais revu. On dit qu'il a été transformé en l'une de ces vipères qui se baladent autour du château. Je me demande ce que deviendrait ta famille, sans toi.

— Non ! supplia le garçon. Inutile de déranger la reine. J'attendrai qu'on m'apporte un peu de nourriture… aussi longtemps qu'il le faudra.

Blanche inspira. Elle avait entendu les cuisiniers et d'autres domestiques dire que la reine pratiquait la sorcellerie. « C'est comme ça qu'elle reste si jeune », disaient certains. « C'est pour ça que personne ne s'oppose à elle – tout le monde a peur d'être changé en crapaud, en insecte ou pire ! » affirmaient d'autres. Ils avaient également évoqué une chambre où la reine passait le plus clair de son temps à parler à quelqu'un – alors que personne d'autre n'entrait ou ne sortait de cette pièce. Blanche ne savait trop que penser, mais elle savait que ceux qui avaient le malheur de s'attirer les foudres d'Ingrid finissaient par disparaître. Et elle savait que la présence même de la reine inspirait la crainte dans tout le château. Son homme de main n'était pas plus rassurant.

— Sage décision, répondit Brutus en remontant le couloir en direction de Blanche, un rictus amusé sur les lèvres.

Blanche s'adossa au mur froid pour qu'il ne la voie pas. Lorsqu'il fut loin, elle jeta un nouveau coup d'œil au jeune garde. Il était maigre. À peine plus âgé qu'elle. Et il avait une famille à nourrir avec des repas qui n'arrivaient pas. Elle baissa les yeux vers son plateau, où reposaient toujours pain tiède et fruits.

Elle se sentait encore repue de la veille. Elle pourrait patienter jusqu'au dîner sans manger. Elle scruta le couloir des deux côtés pour s'assurer que personne ne venait et s'engagea dans l'ombre. Elle avança d'un pas vif vers le garde, les yeux baissés. L'homme parut surpris lorsqu'elle déposa le plateau à ses pieds.

— V-Votre Altesse, balbutia-t-il. Mais c'est *votre* repas.

Blanche était trop timide pour parler. Elle se contenta de lui montrer le plateau et de le pousser jusqu'à ses bottes. Puis, avec un hochement de tête discret et un petit sourire, elle se dépêcha de retourner dans la sécurité de sa chambre avant que quelqu'un ne les voie converser et n'en fasse état à la reine. Elle l'entendit toutefois murmurer :

— Merci, douce princesse. Merci.

Elle ne se sentait absolument pas comme une princesse, ces derniers temps, mais elle était heureuse d'aider quand elle le pouvait. Une fois dans ses appartements, elle se prépara pour sa journée. Elle savait que sa tante ne recevrait pas la cour et qu'elle pourrait donc récurer le vestibule tranquillement. Il lui avait paru quelque peu boueux quand elle l'avait traversé la veille. Il y avait aussi plusieurs vitraux au deuxième étage qu'elle n'avait pas eu le temps de laver récemment. Sans compter le grand tapis, près de la salle du trône, qu'elle voulait lessiver. Elle détestait s'approcher des appartements de sa tante, mais ce tapis était la première chose que les visiteurs voyaient, aussi rares soient-ils. L'idée que se faisaient les gens du royaume était l'une des seules choses que Blanche pouvait contrôler, aussi tirait-elle une certaine fierté de son travail... même lorsque son dos commençait à la faire souffrir à force de gratter les sols et que ses mains devenaient calleuses après tant d'heures à œuvrer dans le jardin. Elle essayait d'alterner les journées à l'intérieur et les activités extérieures, lorsque le temps le permettait. Le soleil était radieux, aujourd'hui, aussi espérait-elle pouvoir sortir le plus tôt possible. Elle voulait cueillir des fleurs pour orner les vases du château. Il n'y aurait pas grand monde pour admirer ses bouquets, mais ils illumineraient au moins la journée des domestiques.

Elle avait rassemblé ses torchons et descendait le couloir quand elle entendit des pas. Une fois encore, elle se blottit instinctivement dans l'ombre. C'était la couturière de la reine, Margaret, en compagnie de son apprentie : une fille du même âge que Blanche. Elle les avait entendues parler plusieurs fois lors de leurs venues au château, et elle avait ainsi appris que la fille s'appelait Anne, mais elle ne lui avait jamais adressé la parole.

— Je te l'ai dit, je ne sais pas pourquoi nous sommes convoquées, dit Margaret en poussant un chariot rempli de tissu et de matériel de couture, dont le cliquettement résonnait dans le couloir. Je suis sûre que ce n'est rien de grave.

— Et si elle a encore changé d'avis ? s'enquit Anne, une lueur inquiète dans les yeux. (Elle repoussa une mèche de son visage cuivré.) Nous ne pouvons pas nous permettre de gâcher encore du tissu, Mère. La reine ne nous autorise plus à vendre les robes qu'elle refuse et elle nous interdit aussi de les garder. Un jour elle en veut une noire, le lendemain lilas et le suivant bleue. La Méchante Reine ne sait pas choisir !

— Ne t'avise pas de l'appeler ainsi ! Tiens ta langue !

Margaret balaya le couloir d'un œil anxieux. Blanche s'enfonça encore dans l'ombre.

— Tu te rends compte de la chance que nous avons ? Elle est la reine et, comme tu le sais pertinemment, elle peut faire ce qui lui chante. Y compris se débarrasser de nous.

Anne baissa la tête, le regard perdu dans les bobines de fil qu'elle portait.

— Pardon, Mère. Mais c'est un tel gâchis ! Avec ses taxes et ses règles, tout le royaume est affamé. Si nous pouvions au moins donner les vêtements qu'elle ne veut pas à ceux qui en ont besoin…

Blanche était attristée d'entendre ses sujets parler ainsi. Elle n'avait pas le droit de franchir les remparts, donc elle ne pouvait en être sûre, mais elle se doutait que le peuple souffrait. Elle détestait avoir le sentiment que sa vie était figée dans le temps. Elle était prête à donner n'importe quoi pour aider les habitants du royaume, mais elle savait que sa tante ne l'écouterait pas.

Margaret arrêta son chariot.

— C'en est assez ! Je m'évertue à t'enseigner cet art pour que tu me remplaces quand je serai trop vieille pour tenir une aiguille. Tu veux peut-être que j'offre ce travail à quelqu'un d'autre ?

— Honnêtement ?

Blanche ne put s'empêcher de rire. Anne semblait être une fille intelligente et amusante, une fille avec qui la princesse pourrait passer du temps. Mais c'était hors de question.

— Qu'est-ce que c'était ? s'inquiéta la jeune femme.

Blanche s'immobilisa. Elle sentait le regard d'Anne dans sa direction.

— Tu vois ce que je veux dire ? siffla la couturière. Elle a des yeux partout ! Partout ! Assez jacassé. Tu mettras tout ce que la reine refuse avec les autres déchets.

— Oui, Mère, soupira Anne.

Encore des chiffons ! songea Blanche. Elle se demanda ce que la reine penserait si elle savait que les vêtements qui lui étaient destinés terminaient en loques pour le ménage. (Le personnel plaisantait en affirmant que le château avait les chiffons les plus luxueux du pays.)

Blanche regarda les deux femmes s'éloigner et attendit qu'elles eurent tourné dans le couloir de la reine avant de sortir de sa cachette. Elle entendit alors du mouvement et se figea. Elle se retourna lentement. Anne était revenue sur ses pas. Elles se dévisagèrent un moment. Blanche ne savait pas que faire et restait aussi immobile qu'une statue. Puis Anne sourit et fit quelque chose d'étonnant : elle s'inclina en direction de Blanche.

— Je vous souhaite une agréable journée, princesse.

Puis elle repartit.

Blanche ramassa ses affaires et s'en alla avant qu'Anne ne décide de revenir une fois de plus. Si elle appréciait que sa présence soit remarquée, elle savait qu'elle ne pouvait pas répondre. Pas ainsi, au vu et au su de tous. Pas sans que la reine l'apprenne et punisse Blanche – ou pire, Anne, pour avoir « mis la princesse en danger » par sa compagnie. Elle remonta le couloir dans le sens opposé, descendit deux volées de marches, traversa la salle de banquet, le réfectoire et des appartements abandonnés, et se dirigea droit vers la porte qui menait au jardin de sa mère.

Elle s'émerveillait toujours du bleu intense d'un ciel sans nuages. L'azur avait-il toujours été ainsi ? Ou bien était-il plus éblouissant parce qu'elle ne l'avait pas vu depuis longtemps ? La pluie de ces trois derniers jours l'avait contrainte à rester enfermée, ce qui lui avait été pénible. Le soleil lui redonnait le sourire. Son rêve de la nuit passée était encore vivace, et passer un peu de temps dans les jardins et près de la volière lui donnait toujours l'impression que sa mère était tout près d'elle.

Ses yeux se posèrent sur les marches de pierre. La mousse commençait à envahir l'allée et verdissait la roche blanche. Elle commencerait par là. Elle s'agenouilla dans un soupir, mouilla son éponge et se mit à frotter en fredonnant distraitement. Un groupe d'oiseaux blancs se posa sur les marches autour d'elle.

— Bonjour, vous ! dit-elle en prélevant une poignée de graines de sa poche pour les répandre sur les marches.

Lorsqu'ils eurent fini de picorer, les oiseaux restèrent là un moment à observer la princesse. Cela ne la dérangeait pas. Elle appréciait leur compagnie, même s'ils ne pouvaient parler. Parfois, d'ailleurs, c'était elle qui leur parlait. Certes, elle aurait pu passer pour folle, à converser avec des animaux, mais qui s'en souciait ?

La mousse disparaissait sous les poils durs de sa brosse et, bientôt, on eût dit l'escalier tout juste sculpté. Elle se dirigea d'un pas satisfait vers le puits pour y remplir son seau. Si elle se dépêchait, elle pourrait peut-être même faire un tour dans la volière. Les oiseaux blancs la suivirent. Ils l'observèrent tirer la corde du puits. Blanche ne put s'empêcher de sourire.

— Puis-je vous dire un secret ? demanda-t-elle aux colombes, qui semblèrent acquiescer. C'est un puits magique. Faisons un vœu.

C'était sa mère qui lui avait dit que le puits pouvait exaucer les vœux. « Que souhaites-tu ? » lui demandait-elle. Blanche fermait alors les yeux et se concentrait. « Je souhaite... » et elle annonçait ce qu'elle voulait le plus au monde à ce moment précis. Un jour, c'était un poney. Un autre, c'était une poupée ou une tiare qui ressemble à la couronne de sa mère. Tous ses vœux se réalisaient en quelques jours. Elle était assez grande pour savoir que c'étaient ses parents qui comblaient ses désirs, mais elle aimait néanmoins l'idée d'avoir un puits magique. Elle n'y avait plus fait de vœux depuis qu'elle était enfant, mais le geste lui était si naturel qu'elle ne put s'empêcher de recommencer. Elle ferma les yeux.

— Je souhaite...

Que souhaitait-elle ?

Elle n'avait plus besoin de poney ni de poupée. Elle avait besoin de l'amour de ses parents, mais aucun puits ne pouvait remonter le temps et changer son destin. Elle avait accepté sa vie terne et solitaire, et s'en accommodait du mieux possible... mais comme elle aurait aimé avoir quelqu'un avec qui partager ces longues journées !

— Je souhaite... l'amour, annonça Blanche.

Un vœu simple et profond à la fois.

Elle ouvrit les yeux et plongea le regard dans la source.

Aucun amour – véritable ou non – ne l'attendait au fond.

Il n'était pas interdit de rêver. Au moins pouvait-elle profiter de cette merveilleuse journée. Le temps lui donnait envie de chanter. Elle songea à sa mère et fredonna l'un de ses airs favoris, celui qu'elle chantait à Georg quand il la courtisait.

Les colombes restaient près de Blanche pour écouter sa voix mélodieuse.

Elle était tellement absorbée par son chant qu'elle ne remarqua même pas le jeune homme jusqu'à ce qu'il se trouve juste devant elle, comme sorti de nulle part.

Blanche

Un étranger !

Blanche fut si surprise de voir un homme marcher vers elle qu'elle en renversa son seau et se réfugia dans les murs du palais. Son cœur battait la chamade. L'étranger venait-il pour elle, comme sa tante l'avait si souvent prévenue ? « Le visage d'une princesse est marqué. Retiens bien ces mots ! » répondait-elle toujours quand la jeune Blanche lui demandait pourquoi elle ne pouvait pas sortir du château, à l'époque où la reine Ingrid sortait davantage. Et voilà qu'un homme, un intrus, surgissait du néant. Que devait-elle faire ? Appeler les gardes ? Elle entendit une voix puissante – était-ce l'homme qui l'appelait ? Et si quelqu'un les surprenait ? Elle monta les escaliers quatre à quatre jusqu'au premier palier. De là, elle s'avança prudemment vers le balcon et hasarda un coup d'œil.

L'étranger regardait droit vers elle.

Alors Blanche fit ce qu'elle faisait toujours : elle se tapit dans l'ombre.

— Attendez ! s'écria-t-il. Je vous en prie, attendez. Je suis si heureux de vous avoir trouvée.

De m'avoir trouvée ? La cherchait-il ?

Tante Ingrid lui avait répété que les étrangers n'étaient pas dignes de confiance. Mais cet homme semblait avoir le même âge qu'elle ou à peine plus. Il avait le visage doux et bon. Sa voix n'était pas menaçante, il ne lui voulait peut-être pas de mal. Mais pourquoi la regardait-il ainsi ? Elle se risqua à un nouveau coup d'œil au balcon pour mieux le voir. Elle en eut le souffle coupé.

Il avait les yeux du même bleu que le geai qui paressait sur le rebord de sa fenêtre le matin. Ses cheveux, quoiqu'un peu ébouriffés, étaient d'un délicat châtain. Une bouclette tombait élégamment devant ses yeux. Et son sourire était si lumineux qu'elle sentit le rouge lui monter aux joues. Ses beaux vêtements laissaient penser qu'il devait faire partie de l'aristocratie : il portait une cape de voyage rouge sur une tunique blanche impeccable, un pantalon gris et un pourpoint or et bleu roi. Ses bottes en daim étaient boueuses et peut-être un peu usées, mais semblaient de grande qualité.

Cela faisait bien longtemps qu'elle n'avait pas étudié ainsi le visage d'une autre personne. Elle évitait soigneusement de croiser les regards. Sa tante ne voulait pas qu'elle ait l'air aimable. « Ça ne t'apportera que des problèmes ! » disait-elle toujours quand elle surprenait la petite Blanche en train de rompre le pain avec les cuisiniers ou d'offrir des fleurs à des serviteurs. Même si l'homme n'était pas là pour la faire souffrir, rien ne le protégerait de la fureur de la reine Ingrid quand elle apprendrait qu'il avait escaladé le mur du château.

— Vous devriez partir, l'avertit Blanche en s'obligeant à détourner le regard.

— Attendez ! Vous ai-je effrayée ?

Oui. Blanche ne répondit pas. Elle se cacha derrière les rideaux.

— Je ne le voulais pas. Mais votre voix est si belle. Lorsque je l'ai entendue, je n'ai pu résister. Je devais voir qui pouvait bien chanter une si belle mélodie.

Elle sourit. Il trouvait donc qu'elle chantait bien ?

— Acceptez-vous de vous montrer ?

Blanche baissa les yeux sur ses guenilles et hésita. Elle entendit la voix de sa mère, autre souvenir d'une époque révolue. Ils avaient croisé des mendiants au village, et la petite fille avait demandé à sa mère pourquoi ils étaient vêtus ainsi. « Tu dois voir au-delà des apparences, Blanche », lui avait dit Katherine. « La véritable valeur d'une personne se cache à l'intérieur. »

Blanche avait fait de son mieux avec ce qu'elle possédait. Elle devait en être fière. Elle posa une main sur ses cheveux pour s'assurer qu'elle était au moins correctement coiffée, puis sortit sur le balcon.

Le sourire du jeune homme s'élargit. Il ôta son chapeau à plume.

— Vous voilà. Voudriez-vous me rejoindre ?

— Je dois partir, répondit-elle après un instant d'hésitation. J'ai fort à faire.

— Je vous en prie, restez encore un peu.

Elle sentit ses joues brûler. Personne ne lui avait jamais parlé ainsi auparavant.

— Juste un peu, accepta-t-elle en s'approchant de la balustrade.

Il la dévisagea curieusement.

— Vous paraissez bien jeune pour une reine.

— Oh, je ne suis pas la reine. Je ne suis que la princesse.

Ses doigts serraient la rambarde de pierre. Elle se sentait prise de vertiges en présence de cet homme.

— *Que* la princesse ? répéta-t-il en inclinant la tête.

Un petit oiseau brun à la tête gris bleuté vint se poser sur l'épaule de Blanche. Elle lui tendit quelques graines de sa poche.

— C'est une panure à moustaches ? s'étonna le jeune homme. On en voit très peu dans les bois. Il doit vraiment vous apprécier pour rester là.

— Oui. Il vient souvent par ici, mais ce n'est pas un résident permanent.

Elle était surprise des savoirs du garçon ; en dehors de sa mère, elle n'avait jamais rencontré personne qui partageait son amour des oiseaux. Elle tendit une main vers les jardins desquels dépassait la splendide volière.

— Ma mère a fait bâtir cette volière. Quand j'étais enfant, elle m'a tout appris sur les espèces qui vivent dans le royaume. Nous avons de nombreux passereaux, et même quelques pics mar, précisa-t-elle en remarquant les petits oiseaux noir et rouge au sol.

Il se tourna vers l'imposant dôme.

— C'est splendide. Les oiseaux doivent être heureux de disposer d'une si belle cage pour se reposer.

Une cage ? Elle ne l'avait jamais appelée ainsi avant, mais en fin de compte, ce n'était rien d'autre qu'une prison. Une prison dorée, mais une prison quand même. Un peu comme celle dans laquelle elle avait grandi. Cette pensée l'attrista soudain.

— Oui. J'espère qu'ils y sont heureux.

L'homme étudia son visage.

— Je n'en doute pas. Vous leur offrez tout ce dont ils ont besoin : un abri, à boire et à manger. De quoi se plaindraient-ils ?

Elle ne répondit pas.

— C'est un environnement idyllique. Tout ce houx attire les oiseaux.

Il balaya le jardin du regard. Ses bottes grattaient le gravier. Puis il leva des yeux pétillants vers elle.

— Vous savez, si vous voulez avoir plus de cardinaux par ici, vous devriez faire planter de la vigne. Dans mon royaume, ils adorent y nicher.

— J'y penserai, répondit Blanche. (Il y avait quelque chose en lui qui évoquait sa mère.) D'où venez-vous ?

Il s'agenouilla et laissa une panure à moustaches lui sautiller sur le bras.

— Mon royaume jouxte le vôtre au nord. Je m'appelle Henrich, mais mes amis m'appellent Henri.

Voulait-il insinuer qu'ils étaient amis ? Elle ne put réprimer un autre sourire.

— Et moi, Blanche-Neige.

— Blanche-Neige, répéta-t-il en l'observant intensément. J'espère que nos routes se croiseront de nouveau. Je dois m'entretenir avec la reine, bien qu'elle ne m'attende pas.

— Oh, fit Blanche en se décomposant. Elle a horreur des imprévus.

— Peut-être pourriez-vous la prévenir de ma présence, en ce cas ?

Elle ouvrit la bouche pour protester, mais il reprit :

— C'est une question de la plus haute importance. Mon père, le roi, m'a chargé de cette mission, et je ne tiens pas à le décevoir.

— De quoi s'agit-il, si je puis me permettre ?

Blanche n'en revenait pas d'avoir posé cette question. Elle ne voulait pas qu'il parte déjà. Avoir une conversation avec une autre personne était bien plus agréable que dans ses souvenirs. Elle ignorait qu'elle désirait discuter à ce point.

— Votre royaume est réputé pour ses diamants et ses champs fertiles, le nôtre pour ses élevages de moutons. Nous avons toujours maintenu d'excellentes relations commerciales qui profitent à tous, expliqua Henri. Mais ces dernières années, la reine a imposé de lourdes taxes sur nos échanges et n'a cessé de réduire nos marges sur la laine. Récemment, elle a même annulé toutes les commandes. Nous avons entendu dire qu'elle cherchait d'autres partenaires. J'espère la convaincre de respecter l'accord que nous avons passé avec le roi Georg.

Blanche sentit son cœur s'arrêter en entendant le nom de son père.

— Je doute qu'elle soit encline à respecter cet accord, surtout si vous évoquez l'ancien roi, songea tout haut Blanche. Mais peut-être pourriez-vous lui offrir autre chose en retour. Quelque chose qui lui ferait comprendre qu'elle ne peut refuser de commercer avec vous. Y a-t-il d'autres biens qui pourraient l'intéresser ?

Henri réfléchit un instant.

— Nous possédons d'importants troupeaux de bétail. Nous pourrions en effet être disposés à en vendre une partie, déclara enfin le prince avant d'ajouter : Vous êtes d'une grande sagesse, Blanche-Neige.

Elle baissa les yeux vers ses haillons.

— Réfléchir m'aide à passer le temps, dit-elle avant de le regarder. Je ne crois pas que la reine Ingrid m'écoutera, mais au moins, vous savez maintenant quoi lui proposer.

Le sourire d'Henrich brilla aussi intensément qu'un essaim de lucioles.

— Je vous suis éternellement redevable, princesse.

Ce n'est qu'à ce moment qu'elle remarqua que le prince semblait épuisé. Elle se demanda depuis quand il arpentait les routes. Elle entendit au loin l'horloge du village sonner. Depuis combien de temps discutaient-ils ? Elle devait partir avant que la reine n'apprenne ce qu'elle faisait.

— Je dois m'en aller. Et vous aussi, je le crains.

— En effet, concéda Henri en replaçant son chapeau. (Il se fendit également d'une légère révérence.) J'essayerai de prendre rendez-vous. Merci encore pour votre aide.

Avant de partir, il se tourna vers le puits, là où il avait vu la princesse pour la première fois.

— Me permettez-vous de me rafraîchir avant de repartir ?

— Bien sûr.

Elle contempla le jeune homme s'approcher du puits et remplir une flasque qu'il gardait dans sa poche. Après un signe de la tête, il se dirigea vers le mur. Il empoigna une branche de lierre pour éprouver sa solidité, puis s'y hissa lentement. Lorsqu'il atteignit le sommet du mur, il se tourna une dernière fois vers la princesse.

— Merci, Blanche. Au revoir ?

— Au revoir, répéta-t-elle.

Bientôt, j'espère. Très bientôt, songea-t-elle bien malgré elle.

Blanche était si absorbée par le prince qui s'éloignait qu'elle ne remarqua pas qu'elle était elle-même épiée. De sa fenêtre en hauteur, la Méchante Reine la scrutait d'un œil noir.

Ingrid

La reine surveillait la saynète qui se jouait dans le jardin en contrebas avec un air de dégoût.

Combien de fois avait-elle défendu à cette fille d'adresser la parole à qui que ce soit, plus encore à des étrangers ?

Et pourtant, elle était là, dans ses horribles guenilles, à discuter avec un jeune homme. À la simple vue de ces deux enfants, qui souriaient et badinaient comme s'ils se connaissaient depuis toujours, la reine avait plongé ses ongles dans la balustrade en pierre. Qui était ce garçon et que faisait-il dans l'enceinte du château sans qu'elle ait été prévenue ? Ce n'était pas seulement l'intrusion qui l'irritait. Il y avait autre chose, mais elle n'arrivait pas à mettre le doigt dessus. Pas encore.

S'éloignant de la fenêtre d'un geste vif, la reine passa devant la porte de sa garde-robe. Elle actionna un levier dans le mur, ce qui révéla une porte dérobée menant à une autre pièce. Elle la referma rapidement derrière elle, monta sur l'autel au centre de la pièce sombre, puis écarta les lourdes tentures qui cachaient son bien le plus précieux. Nul n'avait le droit d'accéder à ses appartements privés, mais on ne pouvait jamais être trop prudent. Certes, elle avait jeté un charme de protection – elle avait peint d'anciens symboles sur les pierres blanches du mur tout autour de l'artefact pour que personne n'y touche –, mais elle était de nature suspicieuse et n'aimait pas prendre de risques. Elle devait protéger son miroir.

Même si elle avait passé sa vie devant, elle ne se lassait pas d'admirer la beauté de l'objet. L'ovale occupait pratiquement tout un mur. Son cadre – fait d'ébène et de moulures délicates – était déjà splendide en soi, mais c'était surtout la corde d'or qui serpentait tout autour qui avait attiré son regard, lorsqu'elle avait trouvé le miroir dans l'atelier de son maître. La corde était posée à plat sur la moitié inférieure du cadre, mais elle s'enroulait comme du lierre près du sommet, où les deux extrémités évoquaient des langues de serpent. Les joyaux qui ornaient le miroir valaient plus que tous les diamants des mines du royaume. Si elle avait laissé ce bijou à la vue de tous, n'importe quel imbécile se serait rué pour en arracher les pierres précieuses, sans jamais se douter de la véritable valeur de l'objet. Jamais le miroir ne lui avait raconté comment il était venu au jour, mais elle savait que chaque élément, chaque centimètre, lui était indispensable et irremplaçable. Combien de temps avait-elle passé à examiner ces rubis qui la fixaient comme les yeux d'un serpent ? Combien de fois s'était-elle tournée vers le masque dans le miroir plutôt que vers des personnes en chair et en os ?

Elle ferma les yeux, leva les bras et entendit le grondement du tonnerre et du vent. Chaque année, il lui devenait plus facile de les invoquer. L'éclair illumina la pièce quand elle commença à parler.

— Voix du miroir magique, accours du plus profond des espaces. Par les vents et les ténèbres, je te l'ordonne. Parle ! Et montre-moi ta face.

Son reflet dans la glace s'effaça. Derrière la fumée, une image se dessina. Parfois, il lui apparaissait trouble, comme si elle le regardait à travers un éclat de verre déformé. Mais cette fois, le masque gris aux allures de bouffon se profilait clairement : les orbites vides, les sourcils constamment dressés en une expression curieuse, une bouche aussi fine qu'une ligne rose. La première fois qu'Ingrid avait vu cet homme sans corps dans le miroir, elle l'avait trouvé répugnant. Mais aujourd'hui, c'était le seul visage qu'elle brûlait de voir. Elle en connaissait les traits aussi bien que les rides de son propre visage… Rides qui s'effaçaient grâce à la magie du miroir. La plupart du temps, elle semblait aussi jeune et resplendissante que Blanche. Mais infiniment mieux habillée. Sa robe violette à cape était cousue dans la soie la plus fine et lui allait comme un gant.

— Que veux-tu voir, ma reine ?

La voix du miroir était puissante et cristalline. Elle avait toujours exercé un charme indicible sur Ingrid. Sans doute parce qu'elle savait que l'apparition avait toujours raison.

Elle avait aussi la satisfaction de savoir que le miroir obéissait au moindre de ses désirs. Malgré leurs discussions quotidiennes, il ne remettait jamais en question les besoins de la reine. Depuis qu'elle était toute petite, elle aspirait à la beauté et à la richesse dont elle avait été privée pendant son enfance, et elle ne se lassait pas d'entendre qu'elle y était enfin parvenue. Elle répéta les paroles rituelles :

— Miroir magique au mur, qui a beauté parfaite et pure ?

Elle attendit la réponse habituelle, mais au lieu de cela…

— Célèbre est ta beauté, Majesté. Pourtant, une jeune fille en loques, dont les haillons ne peuvent dissimuler la grâce, est, hélas, encore plus belle que toi.

Le sang d'Ingrid ne fit qu'un tour. Elle tenta de garder son calme, mais cette réponse la troubla profondément. Quelque part au fond d'elle, la présence d'un homme – qui lui faisait penser à celui qui avait autrefois capturé le cœur de sa sœur – suscitait toujours une certaine inquiétude. Elle avait tout fait pour éviter que ce jour n'arrive, tout en sachant qu'il était inéluctable.

— Décris-la-moi. Apprends-moi son nom, ordonna-t-elle, comprenant qu'elle ne faisait que retarder l'inévitable.

— Lèvres rouges comme la rose, cheveux noirs comme l'ébène, teint blanc comme la neige…

— Blanche-Neige, hoqueta-t-elle sans attendre la fin de la phrase.

Elle se doutait qu'il ne pouvait s'agir que d'elle, mais elle eut néanmoins l'impression de suffoquer. Elle essaya de se calmer, de respirer lentement. Elle leva une main pâle et effilée à sa tête. Elle avait toujours eu des cheveux raides et fins, contrairement à ceux de sa sœur ou de Blanche, magnifiquement ondulés. Elle détestait tant sa chevelure qu'elle la cachait en permanence sous un voile noir.

— La destinée, Majesté, est imparfaite. Il y a un prix pour que ta volonté soit faite.

Elle comprenait où le miroir voulait en venir. Ils avaient déjà eu cette discussion. Le masque y revenait régulièrement depuis bien des années.

Ingrid se détourna de la glace et prit un instant pour se ressaisir. Elle balaya la pièce presque vide du regard. Personne n'en connaissait l'existence. Elle l'avait fait construire lorsqu'elle avait emménagé dans la tour de Georg après la mort de sa sœur. Le roi, rongé par le chagrin, ne s'était même pas soucié de savoir ce qu'elle faisait installer dans son placard. Katherine, elle, savait tout du miroir et de son pouvoir. Elle s'en était méfiée comme de la peste. Et elle avait chèrement payé sa crainte.

Katherine. Ingrid aperçut un mouvement soudain du coin de l'œil. Son pouls s'accéléra. Mais il n'y avait personne. Elle soupira de soulagement et se retourna pour faire face au miroir. Elle devait se concentrer sur ce qu'elle pouvait contrôler.

— Parle-moi du garçon.

— Tu le savais, que ce jour arriverait. Pour parvenir à tes fins, de la princesse il doit rester loin.

— Qui est-il ? tonna la reine. (Elle savait que le miroir détestait ce ton péremptoire et se calma rapidement.) Je ne me rappelle pas cette discussion. D'où vient ce jeune homme ?

— Le prince Henrich, brave et sincère, vient d'un pays lointain. Il ne repartira pas au nord sans lui demander sa main.

— Ils viennent à peine de se rencontrer, répondit Ingrid avec dédain. Ils ne se reverront jamais plus.

Je pourrais aussi veiller à ce qu'il ne revoie plus jamais personne, songea-t-elle. Si elle devait en arriver là, elle n'hésiterait pas.

— Ma reine, prends garde et écoute-moi. Ils se reverront si tu n'agis pas.

À ces mots, Ingrid sentit la rage bouillonner en elle. Elle serra les poings. Une heure plus tôt, elle pratiquait ses potions au donjon avant de sentir que le miroir avait un message pour elle. Désormais, elle était confrontée à un problème crucial. Elle devait s'en occuper. Sur-le-champ.

La reine ne comprenait pas vraiment comment elle ressentait l'appel du miroir, mais plus elle s'abandonnait à son pouvoir, plus elle se sentait en harmonie avec lui. Elle savait aussi qu'il ne disait que la vérité. Elle avait beau tout faire pour cacher la fille et la priver de tout ce que méritait une princesse, la beauté et la nature de Blanche rayonnaient. Ni les loques ni la crasse ne pouvaient ternir l'éclat de sa nièce. Elle était une rose parfaite. Et maintenant qu'elle était adulte, il était impossible de la cacher.

— Tu auras beau garder la jouvencelle enfermée, toujours du peuple elle sera bien aimée, continua le miroir. Mais toi, ma reine, tu resteras exécrée.

Le masque parut soudain enchanté de lui dire ce qu'elle ne voulait pas entendre.

— Je sais cela ! Tu crois que je ne le sais pas ?

Elle se rua vers le miroir comme si elle avait eu l'intention de le frapper, mais elle s'arrêta à quelques centimètres. Jamais elle n'oserait commettre un tel acte.

— Cette enfant sape mon autorité sur mon peuple. Même si elle est recluse dans sa tour d'ivoire, ils ne l'oublient pas. Je suis sûre qu'ils espèrent tous qu'elle les libère de leur « Méchante Reine », mais elle n'a pas ma force, elle n'a pas mon pouvoir.

— Le pouvoir est une chose, mais de force elle ne manque pas. Si l'occasion se présente, sur le trône Blanche montera.

Le miroir laissa ses paroles flotter dans l'air humide et immobile. La pièce empestait le renfermé au point de parfois donner la nausée à la reine. Mais elle ne pouvait demander à qui que ce soit de la nettoyer. Elle s'avança vers une lanterne et l'alluma, ce qui projeta une lueur verdâtre dans la chambre secrète. Ses yeux se tournèrent instinctivement vers le coin, mais il n'y avait bien entendu personne.

— Tant que son cœur battra, le peuple l'admirera, et ta fin approchera, précisa le miroir en lisant les pensées d'Ingrid.

Elle détestait quand il faisait cela. Néanmoins, elle se contenta de soupirer en guise d'acquiescement silencieux. Elle avait trop longtemps toléré l'existence de cette enfant. Elle avait craint de commettre un impair qui pourrait mettre à mal ses nouveaux pouvoirs. Mais ce n'était pas en ignorant Blanche qu'elle la ferait disparaître. Il était temps d'agir, de faire ce que personne d'autre ne voulait faire, comme toujours.

— Je m'en occuperai, annonça-t-elle doucement.

— Le jour est encore long, et grande est ta sagesse. Ne laisse pas ton trépas venir de la princesse.

Elle devait agir aujourd'hui. Elle n'avait que trop retardé l'inévitable. Assez hésité, la menace était trop grande, désormais.

Elle marcha d'un pas vif vers la porte dérobée et poussa le levier qui lui permettrait de repasser dans la garde-robe. Elle émergea ensuite dans ses appartements et se dirigea droit vers la porte. Il attendait derrière, comme toujours.

— Brutus, trouve le chasseur, ordonna-t-elle sèchement. Amène-le-moi immédiatement dans la salle du trône.

Elle appréciait toujours que ses serviteurs fassent preuve de célérité.

Quand Ingrid se rendit dans la salle du trône, Brutus lui annonça que le chasseur était arrivé. Elle se moquait de savoir d'où il venait. Tout ce qui lui importait était de ne pas perdre une minute. Elle détestait attendre. Faire attendre les autres, en revanche, lui était parfaitement égal.

Au fil du temps, elle avait compris que le passage des ans n'était pas son allié (du moins, avant de trouver le miroir). Mais quand il s'agissait de mettre ses visiteurs mal à l'aise, le temps devenait une bénédiction. C'est pourquoi elle ne se pressa pas pour s'installer confortablement sur le trône. Elle adorait siéger là.

Georg, ce pauvre sot, avait gardé le même vieux fauteuil épuré que son père utilisait avant lui. Et Katherine ne s'était jamais vraiment souciée des apparences. Ingrid, toutefois, n'avait pas attendu pour apporter quelques améliorations à la salle d'audience. Dès que son mariage avec Georg fut proclamé, elle fit construire une estrade pour les trônes. Le roi et la reine ne devaient-ils pas être assis plus haut que ceux qui venaient leur demander des faveurs ? Des armes et boucliers avaient été suspendus aux murs pour que nul n'ose défier le royaume. Elle avait fait ajouter des rideaux de velours rouge et avait exigé que son trône soit drapé de velours bleu. Mais ce qu'elle préférait, c'était la roue de plumes de paon qui couronnait sa tête d'une mer de verts et de noirs.

Dignement installée, elle autorisa le garde à faire entrer le chasseur.

L'homme s'avança, le visage rivé au sol, ses cheveux bruns devant les yeux. Dès qu'il fut assez près du trône, il s'agenouilla.

— Lève-toi, chasseur. J'ai une mission à te confier.

Elle se rendit compte à cet instant qu'elle ne connaissait même pas le nom de l'homme. Il avait exécuté bien des besognes au fil des ans. Des corvées indicibles dont il emporterait le secret dans sa tombe. Pourtant, elle le saluait comme s'il n'était qu'un étranger. C'était mieux ainsi.

Le chasseur ôta son chapeau et leva les yeux vers sa reine, attendant ses ordres. Il avait appris à ses dépens qu'elle n'aimait pas être interrompue.

— Conduis Blanche-Neige dans la forêt. Mène-la en un lieu isolé où elle cueillera des fleurs sauvages.

Un sourire diabolique étira ses lèvres.

— Et là, mon fidèle et loyal serviteur, tu la tueras !

— Mais... Votre Majesté ! s'exclama l'homme sous le choc. La jeune princesse...

— Silence ! commanda Ingrid en le foudroyant du regard. Oses-tu questionner ta reine ?

— Non, Votre Majesté.

Elle fit courir ses doigts sur l'accoudoir du trône. Savoir qu'il n'avait pas d'autre choix que de lui obéir l'emplissait de bonheur. S'il refusait, le chasseur et sa famille en subiraient les conséquences.

— Si tu échoues, tu seras mis à mort.

— Oui, Votre Majesté, répondit-il sans lever la tête.

À ses mots tu ne peux te fier ! dit une voix dans sa tête. Elle savait que ce n'était pas la sienne. Le miroir voyait tout. *Une preuve tu dois exiger.*

Une preuve. Oui.

Son regard tomba sur un coffret rouge qu'elle gardait près de son trône. Elle s'en servait pour collecter les taxes des imbéciles que ses gardes traînaient devant elle lorsqu'ils ne payaient pas. Elle avait elle-même vidé la boîte la veille. Elle la souleva et l'examina avec attention. Un cœur transpercé d'une flèche était gravé sur le devant. Comme c'était poétique.

La reine Ingrid tendit le coffret au chasseur. L'homme la regarda avec un air paniqué. C'était délicieux. Elle ne comprenait pas pourquoi elle avait tant repoussé ce jour. Oh, comme elle s'en délectait !

— Mais, afin que j'aie la certitude de ton entière réussite, reprit doucement la reine en savourant chaque mot, rapporte son cœur dans cet écrin.

Ingrid

Trente ans plus tôt.

Elles étaient assises par terre, face à face. Leurs genoux se frôlaient devant le feu réconfortant. Elle étala les figurines de bois devant elles sur une serviette en lin.

Sa petite sœur, Katherine, applaudit joyeusement en les voyant.

— Oh, Ingrid ! Tu en as fait d'autres !

Katherine saisit les petits boutons de bois sur lesquels Ingrid avait peint des visages. Elle les regarda tendrement. Ils portaient des bouts de tissu qu'Ingrid avait récupérés dans le vieux panier de couture de leur mère. Leur père pensait s'être débarrassé de toutes les affaires de sa défunte épouse, mais Ingrid avait réussi à cacher ce panier sous son lit. Elle savait qu'elles en auraient besoin pour rapiécer et confectionner des vêtements. Leurs robes ne dureraient pas éternellement.

Père n'avait pas le temps de s'occuper d'elles. Il les laissait seules le plus clair de la journée tandis qu'il travaillait chez le forgeron au village. Les deux sœurs étaient livrées à elles-mêmes pendant de longues heures, du lever jusqu'au coucher du soleil, mais Ingrid s'en accommodait parfaitement. Elle n'aimait pas la compagnie de leur père.

— Oui, répondit Ingrid en levant un petit roi coiffé d'une couronne en papier. Là, c'est le roi Jasper avec la reine Ingrid, et Katherine, la bonne fée.

Katherine gloussa.

— C'est toi la reine ? D'accord. J'aime bien être une gentille fée. (Elle caressa les petites ailes de papier que sa sœur avait collées dans le dos de la tige.) Est-ce que j'ai des pouvoirs magiques ?

— Bien sûr ! Et la reine aussi, évidemment. Tout le monde devrait connaître la magie.

Le visage de Katherine se rembrunit. Les flammes de l'âtre lançaient des ombres dansantes sur son nez rond.

— La bonne magie, n'est-ce pas ?

— Mais oui ! la rassura Ingrid.

Elles avaient entendu leur père évoquer des rumeurs ridicules de sorcières qui pratiquaient les arts occultes et s'indigner de ces sornettes. Sur ce point, Ingrid était d'accord avec lui : la magie n'existait pas. Elle en était persuadée. Si elle avait existé, elle aurait pu trouver un moyen de guérir sa mère.

Mais Katherine, elle, n'avait que dix ans. Elle *devait* y croire. À treize ans, Ingrid était plus grande et plus sage, du moins de son point de vue. Elle estimait que c'était à elle d'apprendre à sa petite sœur tout ce que leur mère lui aurait enseigné si elle avait été là. Et notamment la lecture et l'écriture. Une fois veuf, Père avait mis un terme à leur instruction.

— Ton rôle est de t'occuper de la maison, lui avait-il dit. Fais à manger, nettoie, sois belle, n'ouvre pas la bouche et tiens-toi prête à me servir quand je rentre.

Comme s'il était le roi. Ce qu'il n'était pas, loin de là. Ingrid ne pouvait même pas le regarder, certains soirs, quand il rentrait bien plus tard que prévu et empestait. Parfois, il ne touchait même pas aux plats qu'elle préparait. Il s'écroulait sur son lit et n'en bougeait plus jusqu'à ce qu'elle le réveille le matin. C'étaient les soirées qu'Ingrid préférait. Elle et Katherine pouvaient manger sans laisser la plus grosse portion à leur père, et elles n'avaient pas à écouter ses médisances permanentes. Il était constamment en colère, comme s'il en voulait à ses filles d'avoir survécu à leur mère.

Ainsi, Ingrid se sentait obligée de raconter de pieux mensonges à sa sœur pour qu'elle ne déteste pas la vie comme elle.

— Katherine est une bonne fée, et les bonnes fées comme les lutins ont la plus belle magie, expliqua Ingrid en prenant la poupée de bois pour la faire voler au-dessus de leurs têtes.

Elles jouèrent ainsi pendant un long moment. Ingrid s'autorisa enfin à se détendre. Le dîner mijotait sur le feu – un ragoût qui devrait leur durer plusieurs jours – et, avec un peu de chance, Père ne rentrerait pas avant la nuit noire.

C'est pourquoi, quand elles entendirent la porte s'ouvrir avec fracas alors que le soleil était encore haut, les deux filles sursautèrent. Père était rentré plus tôt.

Ingrid avait horreur de savoir qu'elle ressemblait à cet homme. Elle n'avait pas le crâne dégarni, bien sûr, mais elle avait les mêmes cheveux bruns et fins que lui, alors que Katherine avait la chevelure noire de leur mère. Ingrid avait les yeux de son père, aussi – noirs comme le charbon –, et sa sœur ceux de Mère. Il lui paraissait injuste que sa sœur ressemble au parent qu'elles aimaient toutes les deux tendrement, alors qu'elle voyait tous les jours dans le miroir l'homme qu'elle détestait le plus au monde.

— Qu'est-ce que vous faites assises par terre comme des chiens ? beugla l'homme, une main agrippée à la porte.

— Pardon, papa ! s'exclama Katherine en se levant d'un bond.

L'une des petites poupées tomba et roula jusqu'aux pieds de son père.

Il la ramassa et la contempla longuement. C'était la fée Katherine.

— Des jouets ? Vous étiez en train de jouer ?

Il s'avança rapidement vers elles. Ingrid sauta instinctivement devant Katherine pour la protéger.

— Vous êtes censées faire les corvées ! Cuisiner ! Les femmes ne s'asseyent pas par terre, Ingrid. Vous êtes trop grandes pour vous comporter comme ça.

— Le souper est en train de cuire, Père, annonça calmement Ingrid tandis que l'homme faisait les cent pas dans la pièce. Nous ne t'attendions pas avant plusieurs heures.

— J'ai été renvoyé, marmonna-t-il. Une journée de salaire en moins parce que je n'avais pas les idées claires.

Il tenait à peine debout. Pourquoi était-il rentré ? À présent, elles étaient enfermées avec lui et son mauvais tempérament. Ingrid avait l'impression que les murs s'étaient resserrés autour d'elle.

— Tu devrais te reposer, suggéra l'aînée.

Ses yeux se rétrécirent :

— Je n'ai pas besoin de dormir ! J'ai besoin d'argent, petite idiote !

Il leva une main, prêt à frapper. Ingrid se mit hors de portée, et l'homme chancela en avant.

— C'est vous qui devriez être en train de travailler, pas moi. Allez gagner votre croûte, au lieu de jouer !

Il prit une petite figurine en bois et la jeta dans la cheminée.

— Non ! s'écria Katherine.

La petite fille commença à pleurer en voyant la fée Katherine s'embraser et disparaître sous ses yeux.

— Arrête de pleurer ! Tu m'entends ? Arrête de pleurer tout de suite !

Ingrid vit le bras de son père balayer l'air. Habituellement, elle prenait toujours les coups à la place de sa sœur. Elle ne supportait pas de voir Katherine souffrir. Mais si elle se fiait à l'expression de son père et à la situation, il ne se contenterait pas de donner quelques coups de fouet à Ingrid. Il comptait punir les deux filles. Il attrapa la cadette par les cheveux et tira. Katherine cria de plus belle.

— C'est tout ce que tu sais faire, hein ? M'énerver ?

— Lâche-la ! hurla Ingrid en poussant l'imposant torse de son père.

L'homme ne fut pas impressionné, bien au contraire : il éclata de rire. Ingrid sentit son cœur se durcir. La colère la consumait.

— Espèce de petit laideron. Tu es encore plus inutile que ta sœur !

Il leva une nouvelle fois la main.

La fureur bouillonnait en elle comme un chaudron menaçant de déborder. Ingrid en avait assez d'être traitée de « laideron ». Comment pouvait-elle être jolie en vivant dans un taudis avec des haillons comme seuls vêtements ? Elle ne pouvait plus laisser son père la faire souffrir. Elle ne pouvait plus le laisser s'en prendre à sa petite sœur. Ingrid poussa Katherine hors du chemin, saisit le tisonnier posé dans le foyer et frappa son père de toutes ses forces. Le coup l'atteignit en pleine tête. Il s'effondra lourdement au sol.

— Ingrid ! s'écria Katherine.

Mais l'adolescente ne réagit pas. La surprise qu'elle avait lue sur le visage de son père lui avait procuré du plaisir. *Que dis-tu de ça ?* songea-t-elle.

Elle regardait son père, allongé. Il clignait des yeux rapidement, encore sous le choc. Mais elle n'attendit pas qu'il se relève. Elle prit la main de Katherine et s'enfuit hors du logis. Les deux filles coururent le long du chemin et ne s'arrêtèrent que lorsqu'elles furent à l'abri des arbres, au cœur de la forêt. Katherine avait pleuré presque tout le temps.

— Où est-ce qu'on va ? Qu'est-ce que tu fais ? répétait-elle.

Ingrid n'avait pas de réponse à lui donner. Tout ce qu'elle savait, c'était qu'elles devaient partir aussi loin que possible de leur maison. Elle ne pensait pas vraiment que leur père partirait à leur recherche. Pourquoi le ferait-il ? Il ne les aimait pas. Mais, quoi qu'il arrive, elle n'avait aucune intention qu'il les retrouve. Ainsi continuèrent-elles à avancer.

— Est-ce qu'on rentre à la maison ? demanda Katherine au bout d'un moment.

Elles marchaient depuis des heures, et le ciel commençait à s'assombrir. Ingrid se tourna pour chercher un chemin qui les conduirait hors de la forêt. Elle repéra une clairière.

Elle observa le visage larmoyant de sa petite sœur.

— Tu veux rentrer et revoir cet homme ? Tu veux qu'il nous traite comme des chiens ? Mère n'aurait jamais voulu ça pour nous. *Je* ne veux pas ça pour nous. Et toi non plus, d'ailleurs.

Les lèvres de Katherine se mirent à trembloter.

— Mais, où est-ce qu'on va aller ?

Ingrid avait déjà entendu ces mots. Elle les avait prononcés elle-même. C'était la question qu'elle avait posée à sa mère peu avant la mort de celle-ci. Mère lui avait répondu d'être gentille avec sa sœur, de l'élever correctement. Ingrid le lui avait promis, mais cela n'avait pas répondu à sa question. Où iraient-elles ? Elle savait que Père ne serait pas là pour elles, pas comme Mère. Et Mère aussi le comprenait. « Le lieu est sans importance », avait-elle dit, le souffle court. Ingrid avait essuyé la sueur sur le front de la malade. « Tout ce qui compte, c'est que vous restiez ensemble, toutes les deux. »

Ingrid était déterminée à respecter sa promesse. Elle prit Katherine, toujours en pleurs, dans ses bras.

— N'importe où sera mieux que cette maison. Tout ce qui compte, c'est que nous restions ensemble, toutes les deux, lui dit-elle en citant les mots de sa mère.

Elle prit la main de Katherine et se mit en marche.

Lorsqu'elles sortirent enfin de la forêt, elles se trouvaient bien loin de leur village. Elle ne reconnaissait rien alentour. Elles avaient voyagé plus loin que jamais dans leur courte vie. Ingrid observa les champs devant elles, puis les montagnes à l'horizon. Les tours d'un château dépassaient au-dessus des arbres. Elle ignorait complètement où elles se trouvaient, mais cet endroit ferait l'affaire pour commencer leur nouvelle vie.

Lorsqu'un paysan sortit de nulle part, Ingrid ne sursauta même pas. Au lieu de cela, serrant toujours la main de Katherine, elle héla le vieil homme. Il avait le visage marqué par les éléments et des vêtements usés, mais il semblait bon.

— S'il vous plaît, monsieur, commença Ingrid de sa voix la plus douce, celle qu'elle réservait généralement à sa petite sœur. Auriez-vous besoin d'aide à la ferme ? Ma sœur et moi sommes prêtes à travailler dur. Nous sommes orphelines, mentit-elle avant que l'homme n'ait le temps d'hésiter. Tout ce que nous demandons en retour, c'est un toit et un peu de nourriture. Nous sommes des filles dévouées.

L'homme scruta Katherine, puis Ingrid, puis Katherine encore. Puis il leur fit signer de monter dans sa charrette.

— Venez. On va voir ce qu'on peut faire.

Ingrid aida Katherine à sauter dans la paille et s'y hissa à son tour. Ce n'est que lorsqu'elle s'enfonça dans le blé séché qu'elle se rendit compte à quel point ses jambes étaient lourdes. Elle passa un bras autour des épaules de sa sœur, qui s'était blottie contre elle, tandis que le paysan avançait à travers champs. L'aînée gardait les yeux rivés sur le château au sommet de l'éperon rocheux. Elle n'avait jamais vu de construction aussi belle. Aussi futile que cela ait pu être, elle s'autorisa à rêver de la vie dans ce palais, sans père cruel, mais avec des festins quotidiens, les étoffes les plus douces… Et peut-être un peu de magie, finalement.

Ceux qui y demeuraient avaient du pouvoir. Or, Ingrid avait appris qu'elle avait besoin de pouvoir dans ce monde. Elle le désirait de toutes les fibres de son être. Lorsqu'elle en aurait, personne n'oserait plus la provoquer.

Blanche

— Altesse ?

Blanche sentit qu'on la secouait.

— Altesse, il est l'heure de vous lever.

Quelqu'un était-il entré dans sa chambre ? Elle ouvrit les yeux et s'étonna de voir une servante à son chevet. Que faisait-elle là ? Personne ne la visitait jamais dans ses appartements. Elle cligna des yeux et balaya la pièce du regard. Sa chambre était encore plongée dans l'obscurité, les rideaux tirés. Était-ce le milieu de la nuit ? Le château était-il attaqué ? Blanche avait entendu les domestiques en parler plus d'une fois : tante Ingrid était mal aimée, et un coup d'État n'était pas à exclure.

Blanche reconnut la femme. C'était la blanchisseuse de la reine.

— Mila ? Que fais-tu là ? lui demanda Blanche en s'asseyant. Il y a un problème ?

La vieille femme se redressa soudain, comme si elle s'était brûlé le doigt.

— Vous connaissez mon nom ?

— J'ai entendu les autres domestiques dire ton nom, et puis… (Elle hésita, se sentant de nouveau intimidée.) Tu as une très belle voix.

Mila porta sa main à la poitrine.

— Merci, Votre Altesse, je… Je vous prie de m'excuser de ne jamais vous avoir adressé la parole auparavant. La reine n'aime pas que…

Blanche comprenait ce qu'elle voulait dire. Sa tante estimait que le rôle de ses serviteurs était de la servir *elle*, et non sa nièce.

— Ne t'en fais pas, la rassura Blanche.

Mila sourit.

— Les choses sont différentes, aujourd'hui. Sa Majesté la reine Ingrid m'a demandé de vous préparer pour un voyage !

— Un voyage ?

Blanche devait rêver. Sa tante ne l'avait jamais autorisée à sortir de l'enceinte du château.

— Oui ! s'exclama Mila en repoussant le lourd dessus de lit pour aider la princesse à se lever. Votre tante a pensé que vous aimeriez aller dans les bois pour cueillir des fleurs, aujourd'hui.

— C'est vrai ? Tu en es sûre ? s'étonna Blanche.

Mila posa ses mains sur ses hanches et rit.

— Mais oui, Votre Altesse ! Elle m'a transmis personnellement ses consignes hier soir et m'a dit de vous préparer. Elle vous a même fait parvenir une robe. Elle veut que vous partiez aux aurores, avant qu'il ne fasse trop chaud.

Blanche observa Mila s'occuper des corvées qu'elle faisait elle-même depuis tant d'années. La servante remplit la cuvette et aida la princesse à se rafraîchir. Elle refit son lit et rangea ses affaires. Elle lui brossa ensuite les cheveux, qu'elle noua avec un ruban rouge. Blanche retenait ses larmes. Personne ne s'était occupé d'elle ainsi depuis la mort de sa mère. Tante Ingrid avait convaincu son père qu'elle était assez grande pour prendre soin d'elle, mais ces contacts intimes lui manquaient. La compagnie de sa mère lui manquait. Face au miroir, pendant que Mila nouait le ruban, Blanche voyait sa mère pratiquer les mêmes gestes. Depuis qu'elle était seule, les journées passaient et se ressemblaient. Mais pas aujourd'hui ! Sa tante avait dû entendre son désir de quitter le château, de découvrir le royaume… ne serait-ce que pour quelques heures.

L'attention l'étonnait, bien sûr, surtout après ce qu'elle avait vécu la veille. Tante Ingrid l'avait convoquée dans la salle du trône dans l'après-midi pour la questionner sur le prince Henrich. Elle les avait vus discuter dans les jardins. Cela faisait des mois – un an peut-être ? – qu'elle n'avait pas vu sa tante, mais elle n'avait pas changé le moins du monde. Comme si les affres du temps ne l'atteignaient pas.

— Tu as laissé un étranger fouler notre terre et tu n'as pas averti les gardes ! Tu m'as désobéi ! Combien de fois dois-je te dire de ne pas adresser la parole à des inconnus ?

La reine l'avait chapitrée devant une poignée de soldats. Blanche avait baissé les yeux sur ses souliers.

— Pardonnez-moi, tante Ingrid. Henri avait l'air si gentil. Il ne m'aurait jamais fait de mal.

— *Henri ?* avait répété la reine en arquant un sourcil. Ainsi, tu as suffisamment parlé à cet intrus pour connaître son nom ?

Blanche avait rougi. Sa tante était hors d'elle, mais peut-être réussirait-elle à la raisonner.

— Il souhaitait vous proposer un accord commercial. Je lui ai expliqué que vous seriez contrariée qu'il se présente sans être invité et je lui ai conseillé de demander une audience formelle. Je lui ai dit de partir.

Tante Ingrid s'était assise au bord de son trône. Ses deux mains laiteuses avaient serré les accoudoirs.

— Et ?

— Et ? répéta la princesse, confuse.

Blanche marchait sur des œufs en présence de sa tante. Elles se voyaient déjà rarement, elle ne tenait pas à envenimer davantage la situation. Elle ne comprenait toujours pas ce qu'elle avait pu faire pour être ainsi rejetée par la sœur de sa mère. Quand son père avait disparu, elle avait imaginé qu'Ingrid et elle se rapprocheraient. Au lieu de cela, la reine avait fermé les portes – au sens propre comme au figuré. En plus de renvoyer le personnel, elle avait mis un terme aux traditionnels bals, limité les visites et s'était coupée du monde, y compris de Blanche. La jeune femme ne pouvait s'empêcher de se demander si tout était sa faute, mais personne ne lui avait donné la moindre explication. Sa tante remarquait-elle seulement tout ce qu'elle faisait pour empêcher que le château ne tombe en décrépitude ?

La reine avait soupiré bruyamment.

— Qu'a-t-il dit d'autre ? Que voulait-il vraiment ?

— Rien de mal. Il espérait s'entretenir avec vous, mais je lui ai dit que la reine accordait rarement des audiences à des étrangers.

Tante Ingrid n'avait pas semblé plus satisfaite.

— Il n'obtiendra certainement pas d'audience avec moi. Et tu ne désobéiras plus jamais à mes ordres. Est-ce bien compris ?

— Oui, tante Ingrid.

La reine avait eu raison d'être courroucée. Blanche avait contrevenu à ses ordres. Mais si seulement tante Ingrid acceptait de rencontrer Henri, elle comprendrait qu'il était inoffensif.

Et voilà que moins d'un jour plus tard, sa tante lui accordait un peu de liberté. Peut-être que leur relation évoluait, en fin de compte.

Mila lui présenta une robe si splendide que Blanche eut le souffle coupé. Elle toucha amoureusement le corset bleu aux mancherons rehaussés de rouge et le satin jaune éclatant. Elle n'avait pas eu de vêtements neufs depuis une éternité. Elle hésita presque à passer la robe. Et si elle l'abîmait dans les bois ? En même temps, aurait-elle une autre occasion de porter une tenue si ravissante ? Elle l'enfila avec un grand sourire.

La servante offrit ensuite à Blanche du thé et des biscuits qu'elle avait apportés sur un plateau. Ravie, la princesse regarda par la fenêtre. Le ciel était d'un bleu rosé. Le soleil n'était pas encore levé.

Mila toussota.

— Je crains que vous ne deviez finir rapidement votre petit-déjeuner, Votre Altesse. L'escorte de la reine vous attend déjà.

Blanche s'arrêta entre deux gorgées.

— Déjà ? Mais il ne fait même pas jour.

— Exactement, acquiesça Mila. Votre tante se soucie de votre sécurité au-dehors. Comme elle ne peut voyager avec vous, elle se sent plus rassurée vous sachant protégée par l'obscurité. Ainsi, personne ne saura que vous partez.

— Oh…

Blanche n'y avait pas pensé. Elle passait inaperçue tous les jours que Dieu faisait.

— Vous aurez une longue route. J'ai pris la liberté de vous préparer un en-cas. Allez, filez !

Elle allait sortir du château ! En cela, elle était heureuse de suivre toutes les consignes de la reine. Blanche était tellement impatiente qu'elle ne songea même pas à regarder le portrait de ses parents avant de partir.

Elle reconnut l'homme chargé de l'escorter. Il était grand et musclé. Ses cheveux bruns étaient noués en une petite queue-de-cheval, et il avait revêtu ses habits de voyage. La princesse aimait regarder les gens dans les yeux, mais cet homme gardait la tête basse. Il ne semblait pas particulièrement enclin à discuter, aussi renonça-t-elle à lui demander son nom. Tout ce qu'elle savait était qu'il travaillait au service de sa tante depuis fort longtemps et dirigeait les chasses. C'est pourquoi tout le monde le surnommait « le chasseur ». Blanche avait du mal à croire que la reine renonçait aux services de son fidèle serviteur pour qu'il puisse l'accompagner.

Il s'inclina.

— Bonjour, princesse. Nous devrions nous mettre en route avant le lever du jour.

— Bien sûr, répondit-elle, impatiente, avant de se tourner vers Mila. Merci pour ton aide, aujourd'hui. S'il te plaît, dis à ma tante que je lui rapporterai le plus beau bouquet de fleurs qui soit.

Mila rougit et se fendit d'une petite révérence.

— Avec joie, Votre Altesse.

Le trajet ne fut pas aussi long que l'avait laissé entendre Mila, mais Blanche apprécia néanmoins la promenade en voiture. Elle était seule à l'intérieur, puisque le chasseur était aussi son cocher. Elle humait l'air pur tandis que le cheval trottait dans les rues calmes du village, où les habitants commençaient juste leur journée. Bientôt, ils furent au pied de la montagne et traversèrent des prairies si luxuriantes que Blanche crut rêver. Le soleil pointait à l'horizon. Le ciel était dénué de nuages. Aux yeux de la princesse, le royaume n'avait jamais été aussi beau.

Les champs avaient-ils toujours été aussi lumineux et fleuris ? Les terres cultivées aussi colorées ? Les pommeraies aussi riches ? Elle savait que sa mère s'était occupée d'un verger dans son enfance, quand elle vivait à la ferme. Tante Ingrid et elle avaient été recueillies, et sa mère avait travaillé d'arrache-pied en échange, notamment en s'occupant des nombreux arbres fruitiers. Blanche aurait aimé prendre le temps d'admirer ces arbres et imaginer sa mère choisir les meilleurs fruits aux branches, mais elle ne voulait pas se montrer trop audacieuse en demandant au chasseur d'arrêter la voiture. Elle était déjà bien assez heureuse d'avoir quitté le palais. Cela faisait bien trop longtemps qu'elle n'avait pu contempler la campagne, ses petites chaumières et leurs habitants qui prenaient soin des champs, des chevaux et des vaches. Elle s'imprégnait de ces images pour ne jamais les oublier. Qui savait quand elle pourrait sortir de nouveau ?

Lorsque le coche s'arrêta, le chasseur en descendit et s'approcha de sa porte pour lever le loquet. Il évitait toujours de croiser son regard.

— Nous sommes arrivés, Votre Altesse, annonça-t-il d'un ton raide.

— Merci !

Elle se dépêcha de sortir à l'air libre. Un vanneau huppé – l'un des oiseaux préférés de sa mère – passa tout près d'elle en pépiant gaiement, comme si lui aussi savait que la présence de Blanche en ces lieux était exceptionnelle. Elle rassembla ses affaires et observa la prairie autour d'eux. Ils se trouvaient dans un bosquet vallonné, où l'herbe était ponctuée de parterres de fleurs sauvages. Il y en avait tellement, de toutes les formes et de toutes les couleurs ; elle avait hâte de confectionner le bouquet parfait. Elle ne perdit pas un instant et commença à cueillir des fleurs en fredonnant. Plus loin, elle pouvait voir une forêt dense que la lumière ne semblait pouvoir pénétrer. Les arbres qui s'y dressaient étaient morts, pour la plupart. Peut-être qu'un grand incendie avait autrefois détruit ces terres. Blanche s'étonna que deux mondes si différents puissent ainsi se côtoyer.

— Par là, indiqua le chasseur en désignant le bois mort.

Il lança un baluchon sur son épaule. Il semblait lourd.

Blanche ne voulait pas douter de son escorte, mais son choix lui paraissait surprenant. Après tout, il connaissait ces terres mieux qu'elle. Il avait probablement une grande expérience du terrain. Ils avancèrent donc vers les arbres noirs. Blanche s'arrêtait régulièrement pour admirer le paysage envoûtant.

Elle s'agenouilla pour cueillir une marguerite et la tint contre elle.

— Avez-vous faim ? demanda-t-elle timidement au chasseur. Je suis sûre que Mila a prévu assez pour deux.

Il la dévisagea un moment avant de répondre :

— Non, Votre Altesse, répondit-il après l'avoir toisée un moment. Il ouvrit ensuite le bras : Après vous.

— Messire ?

Blanche avança, ramassant au passage quelques roses sauvages qui poussaient comme du lierre sur l'herbe.

— Je ne connais même pas votre nom. Comment vous appelez-vous ?

— Vous pouvez m'appeler le chasseur. C'est ainsi que la reine me nomme.

Peut-être était-ce sa liberté nouvelle ou le grand air, mais Blanche se sentit plus courageuse que jamais.

— Allons, vous devez bien avoir un nom. Cette escapade serait bien plus agréable si je pouvais vous appeler par votre nom.

— Ce ne sera pas nécessaire, dit-il en s'essuyant le front.

Perplexe, la princesse n'insista pas davantage. Après tout, il ne faisait que son travail. Peut-être se sentait-il incapable de la protéger et de badiner en même temps. Peu importe, elle ne comptait pas laisser l'humeur morose du chasseur déteindre sur elle. Elle tira sur ses épaules la splendide cape que Mila lui avait donnée. L'air était encore frais à cette heure, mais elle savourait la sensation sur sa peau. Elle pourrait peut-être cueillir suffisamment de fleurs pour garnir plusieurs bouquets et décorer le château. Et lorsque les fleurs faneraient, elle pourrait récupérer les graines de celles qui en avaient pour essayer de les semer autour de la volière.

Penser aux jardins du château lui rappela Henri. Ils n'avaient certes pas discuté bien longtemps, mais le jeune homme dégageait un charme certain. Si elle parvenait à convaincre sa tante de le recevoir, la reine verrait qu'il s'agissait d'un homme tout à fait honorable. Même si, en vérité, il devait déjà être sur le chemin du retour vers son royaume. Cette idée l'attrista. Pourquoi n'avait-elle pas osé lui proposer de se revoir ? Elle se laissa aller à rire. Elle n'avait jamais eu de telles idées auparavant. Ce devait être l'air frais.

Soudain, un son interrompit le cours de ses pensées. Quelque chose remuait dans l'herbe, devant elle. Elle pressa le pas et découvrit un oisillon. Il avait dû tomber de son nid. Il sautillait pour essayer de s'envoler et battait des ailes au sol. Blanche le prit au creux de ses mains.

— Qu'est-ce que tu as ? demanda-t-elle à l'oiseau, comme si celui-ci pouvait lui répondre.

Elle lui caressa les plumes et le sentit trembler sous sa main.

— Le pauvre, il a dû se perdre, dit-elle tout haut pour tenter de relancer la conversation avec le chasseur.

Si l'homme était encore là, il ne répondit rien. Elle décida de continuer à parler.

— Je ne sais pas s'il est blessé ou juste étourdi. Ne t'inquiète pas, je vais t'aider.

La vision de sa mère faisant la même chose lui revint soudain à l'esprit. Elle sourit à ce souvenir. Elle reporta ensuite son attention sur le petit oiseau. Elle était enchantée d'avoir quelqu'un d'autre à qui parler un peu. Elle le reposa au sol.

— Est-ce que tu veux encore essayer de voler ? Vas-y. Essaye !

Comme s'il la comprenait, l'oiseau sautilla deux fois et s'envola.

Elle le suivit du regard. Elle s'apprêtait à raconter au chasseur que sa mère aimait tendrement les oiseaux quand une ombre tomba sur elle. Elle leva les yeux et découvrit le visage grave du chasseur.

Il ne se passa qu'une fraction de seconde avant que la surprise initiale ne se transforme en effroi. Le chasseur brandissait un coutelas au-dessus d'elle.

La sueur perla sur le front de la princesse. Elle tremblait de tout son être. Malgré son instinct de survie, elle mit un instant à comprendre ce que ses yeux voyaient : le chasseur, un couteau à la main. Son sang se glaça quand elle vit qu'elle était acculée contre un rocher, sans aucun moyen de fuir. Elle savait ce qui l'attendait. Elle se sentit défaillir. Elle recula et bascula, les mains levées devant son visage. C'était stupide. Elle ne pourrait arrêter la lame ainsi. Elle cria. Le son de sa voix résonna dans toute la prairie. Une nuée d'oiseaux s'envola d'un arbre, mais personne ne l'entendit. *C'est comme ça que je meurs*, se dit-elle. Elle retint son souffle en attendant le coup fatal.

Au lieu de cela, elle entendit le métal du coutelas tomber au sol.

Blanche baissa les mains et vit le chasseur agenouillé devant elle. Il la regardait d'en bas. C'était la première fois qu'elle voyait ses yeux. Ils étaient verts.

— Je ne peux pas, s'écria-t-il, le visage plissé par le désespoir. Pardonnez-moi. Je supplie Votre Altesse de me pardonner. Elle est folle de jalousie. Elle ne reculera devant rien !

Cela n'avait aucun sens. Une femme était jalouse d'elle ? Mais qui ? Et pourquoi ? Ce n'était pas le moment de se poser des questions. Le chasseur pouvait changer d'avis et ramasser son couteau à tout instant. C'était précisément ce contre quoi sa tante l'avait mise en garde : être une princesse faisait d'elle une cible. C'était la raison pour laquelle elle la protégeait au château, coupée du monde. La reine avait raison.

Sous le choc, Blanche se mit à courir, le cœur tambourinant dans sa poitrine. Elle n'avait fait que quelques pas quand elle perdit l'équilibre et tomba de tout son poids dans un buisson de roses sauvages.

Mère, aide-moi, implora-t-elle en regardant le sang perler le long de ses doigts. Elle entendit la voix de sa mère, cristalline comme dans ses rêves. *Il faut parfois prendre des risques pour obtenir ce que l'on souhaite*, lui avait-elle dit. Qu'aurait-elle fait à sa place ?

La réponse était claire. Sa mère n'avait jamais reculé devant les difficultés. Elle avait toujours fait preuve de courage et de ténacité, même si la tradition ou la coutume étaient contre elle. Qu'il s'agisse de gouverner, de faire construire une volière ou de s'occuper de sa famille, elle avait toujours su trouver des solutions et accomplir sa tâche. Pour Blanche, il était évident que sa mère voudrait des réponses. Elle voudrait savoir qui voulait sa mort et s'assurer que cette personne ne pourrait plus jamais nuire.

Encore tremblante, elle se releva et se tourna lentement vers le chasseur. D'un pas réticent mais déterminé, elle retourna près de l'homme encore agenouillé. Chaque cellule de son corps la poussait à fuir, mais elle tint bon.

— Qui veut me tuer, chasseur ?

Il leva les yeux. Il paraissait profondément surpris par la question de Blanche.

— La reine, bien sûr !

Ingrid

Vingt-quatre ans plus tôt.

Katherine posa lourdement le panier sur la table.

— C'est le dernier boisseau pour cette semaine. Dix au total ! Si cela ne nous vaut pas une coquette somme au marché, je ne sais plus quoi faire !

Ingrid étudia le panier débordant de pommes rouges parfaites. Elles étaient si mûres qu'elles suintaient presque à la moindre caresse. Pas une seule n'était abîmée, pas une seule n'avait la moindre entaille ni la moindre tache. Katherine ne l'aurait jamais toléré. Elle choyait les arbres comme ses propres enfants et veillait à ce qu'ils soient arrosés et taillés quotidiennement. Le fermier et son épouse adoraient la sœur d'Ingrid et étaient satisfaits de son travail. À partir du moment où

Katherine s'était intéressée au verger dépérissant, il n'avait fallu qu'un an pour obtenir une bonne récolte. À présent, plusieurs années plus tard, les pommes de Katherine étaient réputées pour être les meilleures du royaume. Elle avait réussi à créer sa propre variété, qu'elle avait baptisée Flamme Rouge. Elles avaient une saveur délicieusement sucrée relevée d'une subtile pointe d'acidité, comme les pommes vertes. Il se disait même que le roi en personne achetait les pommes de Katherine au boisseau pour qu'on les lui presse chaque matin. C'était du moins ce qu'Ingrid avait entendu dire au marché. Aucun habitant du château ne daignait les honorer de sa présence dans ce coin reculé du royaume.

Depuis que le paysan les avait recueillies quelques années plus tôt, Ingrid et Katherine avaient travaillé sans relâche pour mériter leur dû. La cadette s'était immédiatement habituée à cette nouvelle vie. Elle aimait « ne faire qu'un avec la nature ». Rien ne la passionnait davantage que le défi de faire pousser une plante réticente. Ingrid, quant à elle, s'était rapidement lassée des champs. Elle détestait avoir de la terre sous les ongles et sur ses jupes. Elle n'avait aucune intention de passer sa vie à travailler la terre, à récolter du maïs et à brûler sous le soleil.

Elle avait essayé de convaincre Katherine de quitter la ferme, mais sa petite sœur ne voulait pas en entendre parler. « Ils ont été si bons avec nous, Ingrid », disait-elle, comme si elle estimait qu'elles étaient tenues de peiner jusqu'à leur dernier souffle pour ce couple qui les exploitait. Six jours par semaine, elles se levaient avant le soleil pour cueillir les fruits et légumes mûrs, puis elles travaillaient dans les champs jusqu'à ce que le soleil descende. Le septième jour, alors qu'elles auraient dû pouvoir se reposer, le paysan les obligeait à descendre au marché pour vendre leur récolte.

À vrai dire, ce jour-là était le moins déplaisant pour Ingrid. C'était le seul où elle pouvait quitter la ferme. Le paysan leur faisait suffisamment confiance pour les laisser partir seules au village et leur permettait même de prendre la charrette. Si seulement Ingrid avait pu ne jamais retourner dans ce lieu sordide... Mais elle ne pouvait abandonner Katherine.

— Nous avons deux fois plus de boisseaux que la semaine dernière ! se réjouit Katherine en déposant dans la charrette les paniers de pommes aussi soigneusement que des œufs frais. Oncle Herbert n'en croyait pas ses yeux quand il a vu la recette de la semaine !

— Ce n'est pas ton oncle, rétorqua Ingrid.

Katherine se décomposa et leva les yeux vers elle.

— Désolée, mais c'est vrai. Il ne t'apportera pas de dot. Il ne te trouvera pas d'époux. Il ne nous doit rien, Katherine. Et un jour, il nous reprendra la vie à laquelle nous nous sommes habituées, comme l'a fait Père. Quand tu le comprendras, tu seras aussi déterminée que moi à partir loin d'ici.

— Oh, Ingrid..., soupira Katherine.

Elles avaient déjà eu cette discussion.

Les rayons du soleil s'infiltrèrent dans les fissures de la grange et illuminèrent le visage de la cadette. Après des mois en plein air, son visage s'était paré d'une teinte cuivrée (elle refusait toujours de partager le grand chapeau de paille d'Ingrid) et ses mains étaient devenues calleuses, mais cela la rendait fière. Ses cheveux noirs étaient toujours noués de manière simple et pratique pour lui laisser le visage dégagé, même si Ingrid lui répétait de respecter la dernière mode comme elle essayait de le faire elle-même. Et pourtant, Katherine envoûtait tous ceux qui croisaient son chemin : du paysan aux acheteurs du marché qui hésitaient à payer si cher de simples pommes (Herbert avait insisté pour que Katherine demande le double du prix pour ses fruits). Peut-être était-ce la douceur qui irradiait de ses yeux d'ambre. Mais Ingrid y était devenue hermétique.

— J'aurai dix-neuf ans à la fin du mois prochain, précisa l'aînée en l'aidant à charger les paniers. Il est temps que je vive ma vie. Si c'est cette vie-là que tu souhaites, grand bien te fasse, mais moi, je veux plus que ça.

Katherine plissa le front, ce qui était tout à fait inhabituel pour elle.

— Où iras-tu ? Comment feras-tu pour manger ou pour t'habiller ? Tu pourrais peut-être demander à oncle – à *Herbert* – de t'aider à trouver du travail au village. Ainsi, tu continuerais à vivre ici, mais avec plus de liberté.

Ingrid inclina la tête. Elle n'avait pas pensé à cela. Ce n'était pas une mauvaise idée… pour l'instant.

— Peut-être.

Elle tira la bâche sur la charrette, et les deux sœurs s'engagèrent sur la longue route jusqu'au village. Elles y arrivèrent juste avant la ruée matinale.

La place du marché avait été établie à l'ombre de l'église. Certains marchands vendaient leurs produits depuis leur charrette, d'autres déambulaient à travers la foule avec leurs paniers. Katherine préférait installer une table et laisser les clients toucher ses fruits et en humer le parfum. « Ils peuvent choisir », disait-elle toujours. Ingrid avait pensé que c'était une mauvaise idée : qui voudrait acheter un épi de maïs à moitié épluché ? Mais elle dut bien reconnaître qu'elle avait eu tort. De longues files d'acheteurs se formaient à la table de Katherine. Aujourd'hui, les villageois patientaient déjà avant même que les deux sœurs n'arrivent.

— Bonjour, Katherine ! lança le boucher en la voyant déballer ses biens.

Tout le monde connaissait Katherine. Mais tout le monde avait aussi du mal à retenir le nom d'Ingrid. Elle était consciente qu'elles n'étaient pas les plus belles femmes du royaume. Pourtant, Ingrid se pinçait les joues pour qu'elles soient de la bonne teinte de rose, elle soignait ses tenues, elle étudiait des livres et pouvait tenir une discussion, contrairement à bon nombre de ces paysans. Était-ce si difficile de retenir son nom ?

— Bonjour, monsieur Adam ! répondit Katherine qui, elle aussi, connaissait tout le monde, évidemment.

— Vos pommes sont encore plus belles que la semaine dernière ! Qu'est-ce que vous nous avez ramené, aujourd'hui ?

Ingrid détestait cette question ridicule.

— La même chose que d'habitude, répondit-elle d'un ton laconique. Les haricots ne poussent pas en une nuit par magie.

Adam lui adressa un regard intrigué. Elle était allée trop loin. Katherine lui toucha doucement l'épaule.

— Et si tu me laissais m'occuper du marché, ce matin ? lui proposa-t-elle. Tu pourrais en profiter pour te promener dans le village. Je me débrouillerai.

Cette idée leur serait bénéfique à toutes les deux. Katherine vendait toujours plus quand elle était seule. Elle avait ce calme et cette patience que les villageois buvaient comme un chien errant lape une écuelle.

Ingrid soutint le regard du boucher.

— Très bien.

Elle attrapa quelques pommes qu'elle fourra dans un petit sac. Elle arrivait parfois à en vendre aux autres commerçants.

— Je reviens bientôt. Et ne fais pas de cadeaux !

C'était un autre problème. Katherine était bonne poire. Si un sans-le-sou salivait devant ses fruits, elle se laissait souvent attendrir et lui offrait une pomme. Ingrid en devenait folle. Personne ne leur avait jamais rien donné. Pourquoi les autres mériteraient-ils mieux ?

Ingrid erra sans but entre les étals du marché. Elle passa devant un comptoir garni de glace sur laquelle reposaient des poissons et près d'un marchand de savons. Les mêmes produits, encore et toujours. Même la liberté du marché perdait de son intérêt. Elle s'arrêta un instant devant un joaillier pour admirer ses colliers de perles noires. Elle n'avait encore jamais vu de perles couleur ébène. Elles devaient venir de loin. Elle en caressa une du bout des doigts.

— Vous trouvez votre bonheur, belle damoiselle ? demanda le marchand.

— Oui. Celles-ci sont…

— C'est à moi qu'il parlait, la coupa une voix près d'elle.

Ingrid leva la tête. Une femme, appartenant de toute évidence à l'aristocratie : sa robe violette était coupée dans la soie la plus fine. Une magnifique étole d'ivoire lui entourait le visage. Plusieurs bracelets de perles blanches rehaussaient ses gants assortis. Elle était fardée avec goût et dégageait un parfum de rose. Ingrid entrouvrit les lèvres. C'était le genre de femme qui attirait l'attention et suscitait le respect. Le genre de femme qu'elle désirait être.

— Qu'est-ce qui vous ferait plaisir, aujourd'hui ? continua le joaillier, ignorant Ingrid.

— Ça, décréta-t-elle en désignant le collier de perles noires.

Elle ne les avait même pas essayées. Ingrid s'éloigna, consternée.

La vie était injuste. Elle pourrait être comme cette femme – belle, fière, impérieuse – si seulement elle avait les ressources nécessaires. Et elle n'aurait jamais ces ressources si elle continuait à moisir dans cette ferme. Elle souhaitait devenir une tout autre personne.

— Un souhait, mademoiselle ?

Ingrid continua à marcher. Quiconque avait parlé ne s'adressait pas à elle. C'était une leçon qu'elle avait apprise à ses dépens aujourd'hui.

— Je peux exaucer vos souhaits, mademoiselle.

Cette fois, Ingrid se retourna. C'était un vieil homme au visage buriné et à la barbe blanche trop longue. Ses yeux gris scrutaient les siens avec intérêt. Elle baissa les yeux vers le petit étal encombré de colifichets en tout genre. Il y avait des miroirs, des vases, des coffres et de petites fioles de ce qui semblait être des épices. Elle leva de nouveau les yeux et vit qu'il la regardait toujours.

— C'est à moi que vous parlez ?

— Vous semblez être une jeune femme qui aimerait voir ses souhaits exaucés, continua-t-il sans répondre à sa question, avant de montrer son sac. Je vous en accorde un si vous m'offrez une pomme.

Ingrid n'était pas sotte.

— Vous voulez me faire croire que vous pouvez réaliser un souhait contre un simple fruit ?

L'homme étira un sourire édenté sous sa barbe.

— Oh, oui. Je pourrais même vous offrir quelque chose de mieux, si vous préférez. Que diriez-vous d'une place dans mon atelier ?

Ingrid ne put s'empêcher de rire.

— Et pourquoi en voudrais-je ?

— Pour quitter votre ferme, bien sûr, et pour vous tracer une nouvelle voie, précisa-t-il, cette fois sans sourire. N'est-ce pas précisément ce que vous voulez ?

Il contourna son étal et s'approcha d'elle.

— Je peux vous apprendre à accorder des vœux. Je peux vous donner le pouvoir.

Elle sentit un frisson lui parcourir l'échine. L'homme semblait connaître ses pensées les plus intimes. Comment était-ce possible ? Elle étudia plus attentivement les objets qu'il vendait. Elle y vit des plumes noires, un chaudron, des fioles de poison marquées d'une tête de mort. Elle remarqua alors que les villageois pressaient le pas en passant devant son présentoir. Le vieil homme était craint. Elle l'admira pour cela.

Était-ce possible ? Les arts occultes dont avait un jour parlé son père il y a si longtemps étaient-ils réels ?

— Que voulez-vous en échange ? demanda-t-elle en voulant paraître plus assurée qu'elle ne l'était vraiment.

— J'ai besoin d'un nouvel apprenti. Mes yeux ne sont plus aussi bons que ma tête. J'ai besoin de quelqu'un pour m'aider à préparer… des choses. En retour, je partagerai tous les secrets que j'ai appris dans cette vie.

Il lui prit les doigts. Ses ongles étaient noirs et sales. Elle dut se retenir de ne pas retirer sa main.

— Qu'en dis-tu, jeune Ingrid ?

Elle ne lui demanda même pas comment il connaissait son nom. Son cœur s'accéléra.

— D'accord.

— Ingrid ! la voix de Katherine résonna.

La fille courut vers sa grande sœur. Ingrid récupéra sa main. Le visage de Katherine était rougi par l'excitation. Son sourire s'évanouit quand elle vit Ingrid avec le vieil homme, mais s'illumina de nouveau aussitôt.

— Je t'ai cherchée partout. Tu ne croiras jamais ce qui vient d'arriver. Le roi en personne a demandé que mes pommes lui soient servies à son prochain dîner ! Il adore les Flammes Rouges !

Elle riait et serra les mains de sa sœur.

— C'est une journée magique, tu ne crois pas ?

— Comme tu dis, acquiesça Ingrid, qui regardait tour à tour son nouveau maître et sa sœur. Magique.

Blanche

La reine souhaitait sa mort ?

C'était impossible. C'était inconcevable. Elle avait dû mal comprendre. Pourtant, l'homme avait brandi un couteau contre elle et il pleurait maintenant à chaudes larmes.

Était-ce possible ?

Son cœur battait si fort qu'elle craignait qu'il ne sorte de sa poitrine. Le vent se leva et gronda dans ses oreilles. Son instinct lui intimait de partir, de fuir aussi loin que possible, mais ses pieds étaient comme enracinés. C'était insensé. *Tante Ingrid lui a ordonné de me tuer ?*

La curiosité l'emporta finalement.

— Pourquoi ? murmura-t-elle d'une voix chevrotante.

Le chasseur ne leva pas les yeux. Comme auparavant, il évitait de croiser son regard.

— Elle est jalouse de vous, tout comme elle était jalouse de votre mère, la vieille reine.

Il marqua une pause, comme s'il cherchait les bons mots. Son long soupir se transforma en sanglot.

— Elle a subi le même sort que la reine vous destinait.

Sa mère ? Blanche sentit ses genoux défaillir.

— Non ! C'est impossible !

— C'est la vérité, jura le chasseur en baissant encore la tête. Vous n'êtes pas la première que la reine essaye de faire disparaître. (Il balaya l'endroit du regard et reprit à mi-voix :) Altesse, votre mère a perdu la vie à cause de ma famille, je le crains.

Blanche était trop bouleversée pour parler. L'homme avait clairement perdu la raison. Sa mère n'avait pas été tuée, elle était tombée malade… n'est-ce pas ?

Elle se souvint de la voix de son père qui s'était brisée quand il lui avait annoncé la nouvelle. Blanche était déjà au lit, attendant un baiser de sa mère, quand son père était entré en larmes. Elle avait immédiatement su qu'il s'était passé quelque chose de grave, mais jamais elle n'aurait pu imaginer que sa mère soit morte. La reine avait toujours été si forte, si rayonnante, si pleine de vie. Elle l'avait vue le matin même, avant qu'elle ne parte pour la journée pour affaires officielles – quel genre d'affaires, Blanche ne l'avait jamais su. Mais cela n'avait rien d'anormal. La reine partait souvent rencontrer son peuple et les royaumes voisins, écouter les doléances, calmer les ardeurs, chercher des solutions aux conflits... y compris à cette terrible épidémie qui avait surgi de nulle part. Elle avait embrassé Blanche sur la joue avant de quitter le palais. Elle lui avait dit qu'elle reviendrait avant la tombée de la nuit. Le soir venu, elle était morte. À cette époque, la peste était foudroyante et faisait des ravages dans tout le royaume. Blanche avait été profondément ébranlée, mais elle n'avait jamais remis en cause les circonstances de ce décès soudain...

Elle toisa encore le chasseur. Disait-il la vérité ? Sa mère avait-elle été tuée par sa propre sœur ?

Elle ressentit soudain un besoin irrépressible d'entendre tout ce que l'homme savait au sujet de sa mère. Si Ingrid avait trahi la reine Katherine pour prendre sa place sur le trône, elle devait l'entendre de ses propres oreilles. La colère courait dans ses veines. Elle ne bougerait pas avant de savoir exactement ce qu'il s'était passé tant d'années auparavant.

— Dites-moi tout ce que vous savez, ordonna-t-elle d'une voix plus déterminée que jamais.

Elle savait que la situation était délicate. Le coutelas gisait toujours sur la pierre froide, à quelques pas d'eux.

— Je vous en prie. Vous me devez bien ça.

Ses mains se remirent à trembler.

Le chasseur, lui, ne leva pas les yeux du sol.

— Votre mère est morte des mains de mon père. Il était le maître de chasse du château avant moi, mais son rôle ne se bornait pas à cela. J'ai appris que votre tante lui avait demandé de tuer la reine pour qu'elle puisse épouser votre père.

— Non… Non ! s'écria Blanche, prise de vertiges.

— Si, Votre Altesse, j'en ai bien peur. Mon père l'a confessé sur son lit de mort.

La voix du chasseur était étranglée. Son visage fermé.

— Mon père était l'esclave de votre tante, tout comme je le suis moi-même devenu. Elle lui a dit que s'il exécutait ses désirs pour qu'elle monte sur le trône, il aurait de grands pouvoirs. Et il l'a crue. Il est mort cet hiver, mais il ne voulait pas emporter son secret dans la tombe. Cet acte l'a tourmenté pendant des années, raconta le chasseur, l'œil hagard. Mais à qui pouvais-je en parler ? Qui m'aurait cru ? Le roi avait disparu depuis longtemps. On sait de quoi la reine est capable. J'ai une famille, je ne pouvais pas… Elle est trop puissante !

Il s'essuya le front. Puis reprit :

— Mais je ne commettrai pas la même erreur que mon père. Je mettrai ma famille à l'abri avant de retourner au château et d'accepter mon sort. Je ne mettrai pas votre cœur dans un écrin pour lui offrir sur un plateau d'argent.

Blanche ferma les yeux. L'idée lui était insoutenable. Les pensées fusaient dans son esprit. Comment était-ce possible ? Elle en eut la nausée. Sa mère avait une confiance aveugle en sa sœur. Elle avait fait d'Ingrid sa demoiselle de compagnie. Elle l'avait choisie comme marraine de Blanche. Elle lui avait offert une place au château. Ingrid devait protéger sa sœur, et au lieu de cela, elle avait commis l'impensable. Elle avait volé la couronne de sa sœur. Son mari. Sa fille.

Pourquoi ?

Parce qu'elle est la Méchante Reine, fit une petite voix au fond de sa tête. Tante Ingrid n'avait pas usurpé son surnom. Elle était impitoyable, et Blanche le savait pertinemment. C'était aussi pour cette raison qu'une part d'elle craignait d'être en présence de la reine, ces dernières années. Elle avait vécu dans l'ombre de peur qu'un jour la femme se fatigue d'elle et la jette hors du château comme une malpropre. Mais elle n'aurait jamais imaginé qu'elle commandite son assassinat.

— Je suis désolé, princesse, sanglota le chasseur, ses yeux verts emplis de tristesse et de crainte. Je connais le destin qui m'attend quand elle découvrira que je n'ai pas exécuté ses ordres, mais je ne peux pas vous tuer. Je ne salirai pas davantage le nom de ma famille pour son bon plaisir.

La bonne reine Katherine, sa tendre mère, était morte à cause de la jalousie et de la rage de sa tante. Comment Blanche avait-elle pu être aussi aveugle ? Son sang se glaça soudain. Et son père ? Était-il vraiment parti, ou sa tante l'avait-elle mis à mort, lui aussi ? Qui d'autre avait perdu la vie tandis que la princesse faisait profil bas ?

— Je vous en supplie, Altesse. Vous êtes le seul espoir du royaume. Vous êtes la seule à pouvoir arrêter la Méchante Reine !

Ils entendirent tous deux une branche se briser. Blanche regarda autour d'elle. Il n'y avait personne, ni dans la prairie ni dans le bosquet. Mais la brume semblait exsuder de la forêt comme un serpent dans l'herbe. Ils la virent tous les deux.

— Vite, mon enfant, s'écria le chasseur, qui avait retrouvé de la voix. La reine… Elle a des yeux partout. Elle nous surveille peut-être. Elle sait peut-être déjà tout. Courez vous cacher ! N'importe où, dans les bois ! Partez. Partez !

Une nouvelle sensation envahit Blanche. Une sensation qu'elle n'avait que trop rarement ressentie. L'envie de conquérir. Sa tante l'avait privée de sa mère, puis de son père, de son royaume… et elle voulait maintenant la priver de sa vie. La Méchante Reine voulait tout lui prendre.

Blanche s'approcha du chasseur. Elle le regarda droit dans les yeux.

— Je ne la laisserai pas faire.

Puis elle disparut dans la forêt embrumée.

Blanche se faufila entre les arbres cauchemardesques : desséchés, décharnés, noirs comme les plumes d'un corbeau, dépourvus de feuilles. La forêt était bel et bien morte. Les troncs, épais et noués, portaient des branches emmêlées les unes aux autres qui masquaient le ciel. Des lianes pendaient jusqu'au sol. La princesse devait rester attentive pour ne pas trébucher. Elle craignait de ne pouvoir se relever si elle chutait encore. Personne ne viendrait la retrouver ici, ou alors seulement pour terminer le travail du chasseur. Elle continua donc à marcher. L'air devenait plus froid, le brouillard épais comme une purée de pois. Bientôt, elle ne put voir plus loin que sa main tendue. Un corbeau croassa. Ou peut-être une corneille, venue la regarder mourir. Comme elle avait été sotte à fredonner, à rêver de son prince charmant et des fleurs qu'elle rapporterait au château. Elle ne s'était pas doutée un seul instant que cette excursion n'avait qu'un but : sa mort. Où pouvait-elle aller ? Tous les arbres se ressemblaient. Tournait-elle en rond ?

Elle s'immobilisa en entendant un bruit. Ce n'était pas un oiseau. Le vent semblait être tombé à présent qu'elle se trouvait au cœur de la forêt, mais elle percevait clairement un hululement. Elle plissa les yeux pour essayer de percer la brume du regard. Le treillis de branches mortes lui bloquait la vue. Elle tendit l'oreille et se demanda, quelque peu inquiète, si c'était le chant des esprits. Des âmes perdues qui, comme elle, étaient condamnées à errer à jamais dans cette forêt oubliée.

Reprends-toi, Blanche. Les esprits n'existent pas. La seule chose qui te hante, c'est ton passé.

Le sentier s'obscurcissait à mesure qu'elle s'enfonçait dans les bois. Les arbres avaient un aspect menaçant ; certaines souches gâtées semblaient avoir des yeux. Blanche ne pouvait s'empêcher de se sentir épiée, ce qui était ridicule, elle le savait bien. Elle buta sur une racine et se rattrapa à un tronc dont les creux évoquaient deux grands yeux et une bouche qui paraissait hurler. Elle fut saisie d'horreur et eut un sursaut de recul, mais le sol était irrégulier et elle bascula dans un gouffre. Elle cria dans les ténèbres et tomba dans une mare boueuse. Elle se releva rapidement et tenta de s'extirper de ce marécage. C'est alors qu'elle vit deux silhouettes s'avancer vers elle à fleur d'eau. Étaient-ce des rondins ou bien… des crocodiles ? Elle voulut accélérer le pas, mais sa robe gorgée d'eau la ralentissait. Elle gagna enfin la rive. Elle était prise au piège. Où était-elle tombée ? Dans une grotte ?

Blanche dégagea les mèches trempées de son visage et observa son environnement. Ses yeux s'adaptaient à l'obscurité. Était-ce une issue, au loin ? Elle distinguait une ouverture au milieu des arbres. Elle courut vers la clairière, soulagée à l'idée de pouvoir sortir de cette prison de bois et enfin respirer. Son soulier se prit dans une masse au sol, et la princesse culbuta sur les genoux. Ses mains s'enfoncèrent dans la terre. En se retournant, elle vit qu'elle s'était pris les pieds dans des lianes rampantes. Elle essayait de s'en libérer quand elle entendit quelque chose se déchirer. Sa robe s'était accrochée à des branches au ras du sol. Comme si les arbres voulaient la retenir prisonnière.

Et pourquoi pas ?

La colère qu'elle avait ressentie quelques heures plus tôt contre sa tante, contre le chasseur, contre ses parents qui n'avaient pas décelé la vraie nature de la Méchante Reine, avait cédé la place à l'apitoiement. Blanche comprenait qu'elle était seule au monde. Et qu'elle avait été assez naïve pour faire confiance à la femme la plus dangereuse qui soit. Elle n'avait plus que ses yeux pour pleurer.

Elle leva soudain la tête. Encore ce murmure. Il ressemblait au bruissement des feuilles, mais il n'y avait plus l'ombre d'une feuille aux branches ni même au sol. C'était à croire que le vent la poursuivait. Son esprit lui jouait-il des tours ? Elle ferma les yeux un moment et écouta.

Je vais t'attraper ! prévenait sa mère. Elle se voyait presque, enfant, courir devant sa mère dans le jardin de la volière. *Je t'ai eue ! Je t'attraperai toujours !* disait encore sa mère.

Elle entendit une autre voix. *Si la reine vous attrape par ici, princesse, elle vous obligera à faire la vaisselle avec moi !*

Il n'y avait personne autour d'elle, mais elle reconnaissait ce timbre. C'était Mme Kindred, la cuisinière qui avait survécu aux purges successives de sa tante. La reine Katherine avait toujours encouragé sa fille à se montrer reconnaissante envers ceux qui les aidaient au château, et la jeune princesse avait toujours aimé discuter avec Mme Kindred. Elle se revit assise sur un tabouret. Elle ne devait pas avoir plus de six ou sept ans. Elle observait Mme Kindred couper oignons, carottes et poireaux et les verser dans une gigantesque marmite de bouillon. Désormais, Blanche ne profitait que de quelques instants volés avec la cuisinière – elle soupçonnait sa tante de lui avoir interdit de lui parler, ce qui expliquait pourquoi Mme Kindred incitait toujours Blanche à filer –, mais autrefois, elle assaillait la femme de questions. (« Comment tu coupes les carottes aussi finement ? Pourquoi il y a du sable dans les poireaux ? Tu vas mettre quoi comme épices ? Comment tu sais combien il faut en mettre ? »). Un jour, la petite princesse s'était montrée si envahissante que Mme Kindred avait fini par la prendre dans ses bras. Elle l'avait tenue contre sa poitrine et l'avait laissée remuer le potage. Puis, comme Blanche n'arrêtait pas de parler, elle lui avait aussi appris à trancher et à découper. À l'heure du dîner, la fillette était persuadée d'avoir préparé le repas toute seule. Elle en avait été tellement fière. Elle avait elle-même apporté les plats à table, ce soir-là. Elle avait marché très lentement, sans remarquer que les adultes se disputaient. Ses parents et sa tante. Elle avait pensé qu'ils seraient enchantés – elle ne gardait presque que des souvenirs heureux d'eux. Mais cette fois, elle analysait ce souvenir d'un œil différent.

Au début, personne ne l'avait remarquée. Le roi était assis à côté de la reine, et tante Ingrid leur faisait face. En temps normal, ils se seraient délectés du potage, mais cette fois, ils étaient si aveuglés par la colère qu'ils ne virent même pas la jeune princesse arriver. Elle n'avait jamais entendu sa tante lever la voix contre le roi auparavant. En tant que demoiselle de compagnie, tante Ingrid était toujours auprès du couple royal. En public, elle attendait les consignes et ne parlait que lorsque le roi ou la reine lui adressaient la parole. Bien sûr, Blanche les avait aussi vus dans des contextes moins formels, dans leurs appartements privés, mais maintenant qu'elle y repensait, il y avait eu toujours une certaine froideur entre son père et sa tante. Pourquoi sa mère avait-elle demandé à Ingrid de rester auprès d'elle, dans ce cas ? Blanche n'avait jamais compris comment son père avait pu tomber amoureux d'une femme comme tante Ingrid. Ce souvenir ne faisait que renforcer sa conviction qu'ils n'étaient pas faits pour s'entendre. Le roi et sa belle-sœur entretenaient de toute évidence une animosité réciproque. Mais pourquoi ?

Des images de sa mère et de sa tante lui revinrent. Sa mère vêtue d'une robe bleu mer avec des coutures de cristal avant une célébration officielle. Tante Ingrid qui lui brossait les cheveux pendant ce qui paraissait être des heures, à discuter des rendez-vous et des devoirs de la reine. N'était-ce qu'une ruse de la part de sa tante ? Avait-elle prévu la mort de la reine Katherine dès son arrivée au château ? Ou même auparavant ? Elles étaient pourtant sœurs ! Blanche était fille unique, mais elle n'imaginait pas qu'il soit possible de nourrir une telle haine envers un frère ou une sœur.

Les murmures reprirent de plus belle. Étaient-ce des esprits ? Son imagination ? Elle s'assit difficilement. Sa robe et son pied étaient encore emmêlés dans les branches épineuses.

Vous vous croyez malignes, hein ?

C'était la voix de son père qui la hantait, désormais. Elle le revoyait, assis sur son trône en attendant des visiteurs. Blanche riait avec sa mère. Elles jouaient souvent des tours au roi. Blanche l'appelait par d'autres noms, comme Fritz. En retour, il la surnommait Ediline – et sa mère devenait Frieda. Ensuite, ils faisaient tous mine d'être fâchés les uns contre les autres. Un jour, Blanche avait même convaincu deux dignitaires de passage de s'adresser au roi sous le nom de Fritz. Puis sa mère et elle étaient sorties de leur cachette pour lui dévoiler la plaisanterie.

— Il n'y a que toi, ma petite Ediline, pour me faire rire ainsi, lui avait-il dit. Tu es la lumière de ma vie.

— De *nos* vies, avait repris sa mère.

Tante Ingrid lui avait pris tout cela.

Blanche porta les mains à son visage et éclata de nouveau en sanglots. Elle pleura pour ses parents, pour elle, pour la vie dont tante Ingrid les avait privés. Au lieu de questionner sa tante sur le départ de son père ou de remettre en question sa décision de fermer les portes du château, elle avait fermé les yeux. Elle avait laissé la reine renvoyer la plupart des domestiques et ne s'était jamais demandé pourquoi elle s'enfermait dans ses appartements privés pendant des jours et des jours. Pourquoi l'avait-elle laissée couper les relations commerciales avec les royaumes voisins ? Pourquoi l'avait-elle laissée imposer de si lourdes taxes au peuple ? Comment avait-elle pu accepter que les habitants vivent dans la terreur ? Contrairement à ses parents, elle avait laissé le royaume mourir à petit feu, comme cette forêt maudite.

Comme princesse, elle n'avait pas de quoi être fière.

Les larmes mouillèrent ses joues, roulèrent sur son menton, s'infiltrèrent entre ses doigts.

Est-ce que tu baisseras les bras ?

Blanche s'essuya les yeux. Elle se rassit.

— Mère ?

C'était sa voix, claire comme le jour, mais elle n'était pas vraiment là. C'était encore un souvenir. Un autre fragment de mémoire destiné à lui déchirer le cœur.

Est-ce que tu baisseras les bras ? avait demandé sa mère. Quand était-ce ? Et à qui parlait-elle ?

Blanche resta immobile, tentant de tout son être de faire ressurgir ces mots. Enfin, elle se souvint. Elle était assise dans le carrosse royal. Elle se souvint du contact de sa mère, de sa main qui serrait la sienne. Le carrosse avait fait une embardée et s'était brusquement arrêté. Il y avait ensuite eu des cris. Des gardes avaient sauté du carrosse. Des gens avaient couru. Sa mère s'était tendue. Elle avait regardé par la fenêtre.

— Non ! avait-elle crié. Lâchez-la !

Elle s'était tournée vers sa fille :

— Ne bouge pas, Blanche.

Mais la petite princesse était bien trop curieuse. Elle avait sauté du carrosse et avait suivi sa mère. Les gardes menaçaient une vieille dame. Elle n'était pas blessée, mais semblait triste. Ses vêtements étaient élimés et rapiécés, comme le seraient ceux de Blanche plus tard. À côté d'elle gisait un panier presque vide, contenant seulement une pomme pourrie couverte de boue.

— Les gardes vont vous raccompagner chez vous. Où habitez-vous ? avait demandé sa mère.

— Nulle part, ma reine. La terre est mon campement. Elle me donne tout ce dont j'ai besoin.

— Votre Majesté, nous devons partir, avait annoncé un garde.

Mais la reine n'avait pas bougé.

— Pas tant que je n'en aurai pas fini avec cette femme, tonna-t-elle.

Elle se tourna vers la mendiante.

— Le monde est le plus beau des foyers, mais je serais plus soulagée de vous savoir avec des vêtements chauds et de quoi manger.

La mère de Blanche était retournée rapidement au carrosse pour y prendre le panier de pique-nique qu'elle emportait toujours lors de ses sorties. La princesse le savait rempli de nourriture. Il était rare qu'elles mangent tout.

— Prenez ceci, dit-elle avant de dégrafer sa cape. Ainsi que ceci. Cela vous tiendra chaud. Bon vent, madame.

— Que Dieu vous protège, ma reine.

Blanche avait observé la scène avec des yeux émerveillés. La reine avait embrassé la vieille femme puis était remontée dans le carrosse. La princesse avait ensuite salué la mendiante de la main.

— Les petits gestes comptent autant que les grands, lui avait expliqué sa mère. Autrefois, j'étais comme elle. Je n'avais rien.

— Je ne sais pas ce que je ferais si je n'avais plus rien, avait répondu Blanche.

Sa mère lui avait relevé le menton et l'avait regardée droit dans les yeux.

— Si ce jour arrive, est-ce que tu baisseras les bras ? Non. Tu continueras, tout comme je l'ai fait. Je n'ai jamais baissé les bras. Et un jour, quelqu'un m'a donné ma chance. Souviens-toi toujours d'où tu viens, Blanche. Sers-t'en pour décider de ton avenir. Mais jamais, au grand jamais, tu ne dois baisser les bras.

Ce souvenir la laissa sidérée. Elle savait que sa mère était une femme généreuse et douce, mais elle avait oublié cet épisode. Un épisode crucial.

Blanche sentit une brise glaciale souffler. Elle entendit une autre voix.

Tes larmes ne changeront pas ton destin !

C'était celle de tante Ingrid. C'était ce qu'elle avait dit à Blanche, au lendemain de la disparition de son père. Avait-il été banni, tué ? Qui pouvait le savoir ? Blanche avait refusé de sortir de sa chambre pour souper avec sa tante. Celle-ci l'avait fait mander deux fois, mais la princesse était restée cloîtrée. Le chagrin était trop fort. Au lieu de prendre pitié d'elle, tante Ingrid s'en était offusquée. Elle avait surgi dans la chambre de la jeune femme et avait déchaîné toute sa hargne.

Sa tante était si différente de sa mère. C'est alors qu'elle comprit. C'était *cette femme* qui gouvernait le royaume. Une femme dont la cruauté se propageait comme du venin. Blanche aurait dû être la régente légitime en l'absence de son père. Elle en avait l'âge. Son père était monté sur le trône quand il n'avait que seize ans, un an de moins qu'elle aujourd'hui. Sa mère n'avait jamais oublié ses origines. Blanche avait désormais un choix à faire. Allait-elle rester allongée là, dans l'herbe, et abandonner son royaume ?

Ou bien allait-elle faire honneur à ses parents et à tout ce qu'ils lui avaient appris pour changer son destin ?

Est-ce que tu baisseras les bras ? Non. Tu continueras, tout comme je l'ai fait.

Blanche serra la mâchoire. Cette fois, elle déploya toute sa force pour sortir son pied des lianes. Elle se contorsionna, tira, poussa et parvint enfin à se libérer. Puis elle se leva. Sa nouvelle robe, qu'elle admirait encore le matin même, se déchira. Ce n'était qu'un habit. Elle en trouverait d'autres. Elle prit une profonde inspiration et se remit en marche.

Quel que soit le temps que cela lui prendrait, elle avancerait dans l'obscurité jusqu'à trouver la lumière.

Ingrid

Vingt-trois ans plus tôt.

— Concentre-toi ! ordonna son maître.

Ingrid s'exécuta. Elle ferma les yeux, fit abstraction de tous les bruits du monde. Elle sentait son souffle soulever et rabaisser sa poitrine. Elle patienta jusqu'à sentir le bout de ses doigts, le poids de ses orteils. Puis elle imagina ce qu'elle voulait.

De la lumière, de la lumière ! pensa-t-elle. Lorsqu'elle ouvrit les yeux, une flamme brûlait effectivement la mèche d'une chandelle jusqu'alors éteinte.

— Bien ! l'encouragea son maître.

Ils étaient installés au milieu de son échoppe, au petit matin. Ils travaillaient avant l'ouverture, après la fermeture et le dimanche, quand tous les villageois restaient chez eux. Il lui transmettait tout son savoir sur la magie et les sortilèges. Ingrid buvait chacune de ses paroles tel un délicieux élixir. C'était la première fois qu'elle goûtait à une telle liberté d'apprendre. Son père avait seulement exigé d'elle qu'elle tienne la maison et ne traîne pas dans ses pattes. Tout ce dont le paysan s'était soucié était ses récoltes. Mais le maître était là pour nourrir son esprit.

Katherine avait été dévastée quand Ingrid avait annoncé, un soir au dîner, qu'elle quittait la ferme pour travailler au village. Elle n'avait pas précisé où, et Herbert ne le lui avait pas demandé. Elle avait expliqué que c'était une bonne situation qui lui permettrait, à terme, de ne plus dépendre d'eux. À ces mots, le paysan sembla satisfait. Il ne s'était jamais pris d'affection pour elle comme c'était le cas avec Katherine.

Afin de ne pas se séparer de sa sœur, Ingrid avait promis au couple de leur céder la moitié de sa paye. L'idée ne l'enchantait guère, mais son nouveau maître n'avait pas de toit à lui offrir et refusait qu'elle dorme par terre dans son échoppe. Elle vivait comme une torture le fait de devoir quitter la vie et l'énergie du village chaque soir pour retourner dans la triste fermette, mais elle retrouvait le sourire à la vue de sa sœur. Elle continuait donc à faire le trajet, matin et soir, en rêvant du jour où elle pourrait ouvrir sa propre boutique et quitter définitivement la ferme. Elle emmènerait Katherine, bien sûr. Elle ne pourrait jamais abandonner sa sœur.

— Concentre-toi sur la flamme, lui demanda son maître. Essaye de la faire brûler plus fort.

Ingrid se concentra, les yeux rivés sur la chandelle. Elle visualisa ce qu'elle voulait. La flamme se mit à tourbillonner comme une tornade et à s'élever jusqu'à lécher les poutres du plafond. Ingrid et son maître s'extasièrent. Elle se demanda toutefois si la bâtisse ne risquait pas de prendre feu. Son maître commanda à la bougie de s'éteindre. L'instant suivant, ils étaient de nouveau plongés dans une obscurité presque totale.

— Je pense que ça ira pour aujourd'hui, annonça le vieil homme, un peu secoué.

— Mais on vient juste de commencer !

— Tu veux toujours aller plus vite que la musique.

Le maître se dépêcha de ranger tous les grimoires qu'Ingrid avait ouverts. Ils étaient noircis de sortilèges qu'elle était impatiente d'essayer : philtres d'amour, crèmes pour donner un teint de lait, potions de beauté... C'était exactement ce à quoi elle aspirait, ces derniers temps. À force de passer du temps sur les routes, elle avait les traits burinés par le vent. Ses mains étaient abîmées par tout le travail qu'elle faisait à l'atelier – tout comme celles de sa sœur, mais sans les taches que causaient les pommes. Pourtant, les hommes accordaient de plus en plus d'attention à Katherine, tandis qu'Ingrid avait de plus en plus l'impression de ressembler à une vieille sorcière. Aucun soupirant ne venait frapper à la porte d'Herbert pour elle ; ils ne venaient que pour Katherine.

Tant pis. Elle n'avait pas besoin de l'aide du paysan. Elle n'avait besoin de personne. Juste d'un bon sort.

— Nous pourrons nous y remettre quand les corvées seront faites et que les clients seront partis, dit son maître en lui tendant un coffre de petites fioles à nettoyer et à remplir d'élixir. Ne sois pas impatiente.

Il boitilla jusqu'à la porte et la déverrouilla.

C'était la seule critique qu'il formulait contre Ingrid : elle n'avait aucune patience. Et c'était vrai.

Elle voulait tout apprendre sur la magie, savoir tout ce qu'il savait, et tout de suite.

Le carillon de la porte tinta. Une femme aux cheveux grisonnants et fins entra dans l'échoppe. La première cliente de la journée. Ingrid soupira et commença à nettoyer les fioles. Une fois que la boutique était ouverte et que les acheteurs venaient chercher du jus de betterave ou de l'ambroisie, elle n'avait plus le temps d'étudier ses grimoires. Elle aidait les clients et faisait en sorte que l'atelier de son maître reste présentable. Elle concocta rapidement un breuvage destiné à vivifier l'esprit. La dernière fois qu'elle en avait préparé, elle avait écoulé tout son stock dans la journée.

Malgré toute l'aura de mystère qui entourait échoppe, les clients se pressaient à la porte. Certains venaient de très loin pour s'entretenir en privé avec le propriétaire des lieux. Ils ne faisaient pas confiance à la jeune apprentie. Ingrid détestait ceux-là, comme elle détestait toutes les corvées qui lui étaient dévolues : laver le matériel, réparer les articles malmenés, récurer les sols. Elle n'était pas une servante, quoi qu'elle ait fait dans son passé. Elle voulait être l'égale de son maître, mais cela nécessitait du temps.

L'impatience la rongea de nouveau.

— Ingrid ? appela son maître. Madame Yvonne et moi allons chercher quelques herbes.

— J'enfile ma cape et j'arrive.

Elle avait besoin de plusieurs plantes pour préparer une crème de jour censée donner de l'éclat à son visage.

— Non, répondit simplement son maître avant de cacher son visage sous sa capuche. Occupe-toi de la boutique. Nous reviendrons bientôt.

Elle soupira, et Madame Yvonne aussi.

Pourtant, ils ne revinrent pas de sitôt. Le soleil s'éleva à son zénith sans qu'aucun autre client pousse la porte. Ingrid enrageait de n'avoir pu partir à la cueillette, elle aussi. Pourquoi son maître ralentissait-il son apprentissage au lieu de lui transmettre tout son savoir, comme il l'avait promis ? N'était-elle pas l'héritière légitime de l'échoppe ? Ne devrait-elle pas savoir tout ce qu'il y avait à savoir sur la magie, pour leur bien à tous les deux ? Pourquoi ne l'autorisait-il pas à renforcer son art comme elle savait pouvoir le faire ?

— *Parce qu'il craint le pouvoir que tu brandis. Ton maître freine ta progression : il te ralentit.*

— Qui a dit ça ? s'exclama Ingrid en se retournant.

— *Cherche en ces murs ; un grand pouvoir tu trouveras. Ainsi que le savoir pour quitter cet endroit.*

Un grand pouvoir ? Mais où ? L'atelier n'était pas si grand. Elle parcourut du regard les étagères chargées de vieux livres, de potions, d'urnes, de fioles ainsi que de quelques rats et oiseaux en cage, utilisés dans certains sortilèges. Aucune de ces créatures n'était dotée de parole, bien entendu.

— Montre-toi ! ordonna la jeune femme d'une voix si puissante qu'elle ralluma la chandelle éteinte par son maître.

— *Ton art est précis et puissant comme la foudre enflammée. L'attente pour devenir ton propre maître est bientôt terminée.*

Ingrid chercha frénétiquement la provenance de la voix. Ne voyant rien dans la salle principale, elle passa dans l'arrière-boutique. C'était là qu'étaient rangés les articles cassés ou sans valeur. Son maître n'avait même pas pris la peine de lui expliquer à quoi ils servaient. Il s'était contenté de dire qu'il devait s'en débarrasser, mais qu'il devait le faire en bonne et due forme. Les objets occultes ne pouvaient être mis au rebut comme de simples détritus. « La magie brisée est la plus dangereuse de toutes », lui avait-il dit un jour.

La pièce était déserte. Pourtant, son instinct lui assurait que la source de la mystérieuse voix était toute proche. Sans réfléchir, elle se dirigea vers la bibliothèque au fond de l'arrière-boutique. Elle souffla la poussière et tendit la main derrière les livres. Au lieu d'y trouver un mur solide, elle sentit un renfoncement secret. Elle déplaça soigneusement la bibliothèque et aperçut derrière un tas de vieux chiffons. Elle les écarta un à un et découvrit… un miroir ?

Le verre était si sale qu'il en était presque noir, mais il était intact. Le cadre doré, aux moulures en forme de serpents, était ébréché, la peinture écaillée, mais le miroir avait dû être majestueux autrefois. Ingrid ne comprenait pas pourquoi son maître avait pu laisser un objet aussi précieux s'user ainsi.

— Ne crains pas la magie que tu ne comprends pas. Pour devenir la plus belle de toutes, confie-toi à moi.

Ingrid eut un sursaut de recul en voyant une épaisse fumée se dessiner sur la glace. La voix venait de l'intérieur du miroir. Et il semblait lire dans ses pensées ! Mais comment était-ce possible ?

— Ton sort n'est pas scellé, continua le miroir d'une voix de baryton. Touche la glace et tout sera révélé.

Ingrid posa la paume sur le verre froid et sentit une violente douleur lui remonter le bras. Mais elle ne s'écarta pas. En gardant la main sur le miroir, elle put voir son histoire se dérouler sur la glace. Il avait été forgé dans la lave. Des silhouettes encapuchonnées récitaient des incantations tout autour pendant que le verre refroidissait. Elle vit un grand arbre, dans les Bois Hantés, être abattu, son tronc ensuite sculpté en un cadre délicat orné de serpents et d'étranges symboles. Les silhouettes étaient prudentes. Elles avaient accroché le miroir dans une caverne au fin fond de la forêt et s'y rendaient occasionnellement pour communier avec l'objet. Ingrid ne pouvait distinguer aucun des visages cachés sous les capes. Ils étaient nombreux et se postaient en demi-cercle tout autour du miroir pour psalmodier. Des langues de feu surgissaient à leurs pieds et couraient jusqu'à la paroi de la caverne.

Sans trop savoir comment, Ingrid comprenait que le miroir était satisfait de cette dévotion, mais aussi qu'il aspirait à plus. Il voulait un but. L'une des figures le savait aussi, et elle aussi voulait plus. La beauté. La fontaine de jouvence. L'immortalité. Le miroir lui offrirait tout cela si elle en payait le prix. Avec le temps, Ingrid vit que la silhouette en question était celle d'une femme qui semblait rajeunir. Après chaque visite, elle paraissait plus belle, plus heureuse. Mais bientôt, sa beauté suscita des querelles avec les autres capes. Quelqu'un qualifia le miroir de maléfique. Ingrid vit ensuite la mort. La femme qui avait révéré le miroir gisait sur le sol. L'un des visages encapuchonnés décrocha le miroir et l'emporta dans cette boutique pour demander l'aide du marchand.

— Il est dangereux et doit être détruit, déclara l'homme.

— Je m'assurerai qu'il ne soit plus jamais écouté, répondit le maître d'Ingrid.

La jeune femme eut un geste de surprise et lâcha le verre.

— Il y a bien plus à voir…, commença le miroir.

Ce ne fut qu'à cet instant qu'Ingrid s'aperçut que la glace, bien que brumeuse, laissait deviner des formes noires et violettes qui tournoyaient comme des flammes. Était-ce un visage qui l'observait ? Était-ce son propre reflet déformé ou quelqu'un d'autre ? Un genre de masque, peut-être ? Elle n'en était pas sûre, elle ne distinguait qu'une ombre envoûtante.

— Qu'y a-t-il à voir ? Montre-moi ! siffla-t-elle.

— Tu dois renouveler ma lymphe pour le savoir.

Sa lymphe ? Ingrid sentait que le miroir était mourant. Elle devait l'aider.

— Que dois-je faire ?

Elle craignait de ne pouvoir agir assez vite. Ce miroir était l'objet le plus atypique et le plus puissant qu'il lui avait été donné de voir. Elle ne pouvait pas le laisser disparaître.

— Mandragore et belladone tu dois trouver, et préparer une potion magique sans tarder.

La voix semblait déjà faiblir. Ingrid se précipita dans la boutique pour réunir son matériel. Elle prit au passage le breuvage pour l'esprit qu'elle avait préparé le matin. Elle espérait qu'il serait assez fort. Elle mélangea à la hâte tous les ingrédients puis revint dans la réserve en cherchant quelque chose pour appliquer sa décoction sur le miroir. Le verre s'était assombri. Elle attrapa un torchon sur une pile de linge propre qu'elle n'avait pas encore plié et appliqua le vernis sur toute la glace et le cadre.

Le miroir demeura noir et silencieux. L'espace d'un instant, elle pensa avoir échoué. Elle s'agenouilla et patienta. Lentement, la glace se mit à irradier, de plus en plus fort, telle une braise qui se transforme en une flamme vive. La chaleur emplit la pièce et Ingrid se demanda, pour la deuxième fois de la journée, si l'échoppe était sur le point de s'embraser. Mais la lumière se dissipa finalement. Les volutes noires et violettes réapparurent à la surface de la glace. Le cadre, jadis terne et usé, se mit à briller. Le verre devint clair comme le cristal. Un masque flottant se dessina enfin.

— Ingrid, dit la voix qui s'était raffermie. Mon maître à présent tu seras. Je te dois la vie et à jamais tu m'accompagneras.

Maître ? Qu'avait-elle fait en touchant ce miroir ?

— Mais c'est *mon* maître qui te possède. Je ne peux pas te sortir d'ici.

Elle avait perdu toute assurance et détestait cela. Elle parlait à un miroir. C'était absurde.

— Te parais-je brisé ? Comme la rivière coule après la pluie tombée, grâce à toi je suis éveillé.

La voix avait maintenant retrouvé toute sa vigueur.

— Ton destin en dépend, pose ta main sur la glace. Oublie ton passé et ton avenir embrasse.

Comme précédemment, elle toucha le miroir et eut une nouvelle salve de visions. Mais cette fois, elle se vit elle. Elle était dans une pièce plus somptueuse telle qu'elle n'en avait encore jamais vu. Elle était assise sur un siège qui dominait tous les autres, vêtue d'une splendide robe et de bijoux plus précieux que ceux des nobles du village. Les images se succédaient rapidement : elle dans une pièce remplie de personnes ; elle dirigeant une troupe de gardes ; elle s'adressant à la foule depuis un luxueux balcon. Chaque fois qu'elle se voyait, Ingrid semblait plus jeune et plus belle qu'elle ne l'avait jamais été. La dernière image fut la plus marquante de toutes. Une couronne lui était déposée sur la tête. Elle paraissait jeune, étincelante, puissante. Ingrid s'éloigna du miroir avec un hoquet de surprise.

— Je pourrais être reine ?

— C'est un fait qui ne se dément pas. Reine tu seras, et longtemps tu régneras.

C'était ce dont elle avait toujours rêvé : le pouvoir, l'attention, le respect. Et qui en possédait plus qu'une reine ? Le roi Georg était jeune et en âge de prendre épouse. Il n'était peut-être encore promis à personne. Peut-être était-ce lui, son avenir. Peut-être était-ce ce que le miroir lui disait… à condition qu'il dise la vérité.

— Aie foi en moi, accorde-moi ta confiance. Ce chemin sera le tien sans aucune défaillance.

Ingrid hésita un instant, puis reposa la main sur le miroir. Elle ressentit de nouveau une vive douleur, un engourdissement, puis plus rien. Pas de vision. Quelque chose n'allait pas. Elle observa sa paume : une marque de brûlure était apparue au creux de sa main usée. Avant même qu'elle ne puisse réagir, la marque se dissipa, et avec elle les callosités et la poussière dont elle n'arrivait jamais à se débarrasser. Les rides de sa peau abîmée se lissèrent et laissèrent la place à un teint parfait. La veine disgracieuse qui palpitait habituellement s'effaça. Elle poussa un cri de surprise et de soulagement. Sa main était plus belle que jamais. Elle releva les yeux vers le miroir. Elle voulut y placer son autre main.

— Tu n'as qu'à demander, dit le miroir en lisant encore ses pensées. Ensemble, tous tes rêves pourront se réaliser.

Reine. Elle se l'imaginait parfaitement. Elle le sentait, même. Juste à ce moment, elle entendit la porte de l'échoppe s'ouvrir.

— Je vais te sortir de là, promit-elle. Je reviendrai te chercher plus tard. Je ne le laisserai pas te détruire.

Le miroir redevint silencieux. Pour s'assurer qu'il soit en sécurité, Ingrid le déplaça et le cacha derrière un grand tableau, sur un autre mur de l'arrière-boutique. Lorsque son maître quitterait l'échoppe en fin de journée, elle prétendrait devoir ranger encore et reviendrait le chercher. Elle trouverait par la suite un moyen de le mettre en lieu sûr.

La cloche sur le comptoir tinta. La personne qui était entrée était donc un client. Son maître ne se serait pas donné la peine d'utiliser la cloche, il l'aurait appelée en criant. La cloche sonna encore. Ce client s'annonçait déjà pénible.

Ingrid s'essuya les mains – l'une tachée de vernis et l'autre resplendissante, digne d'une future reine. Elle retourna dans la boutique.

— Que puis-je faire pour…

— Ingrid ! s'écria Katherine en lui sautant au cou. Tu ne croiras jamais ce qui vient de m'arriver !

Elle agita un parchemin couleur crème devant sa grande sœur.

— J'ai été invitée au bal masqué du château !

— Toi ? s'étouffa l'aînée.

Elle attrapa la feuille et la lut avidement.

— « Le roi Georg vous invite cordialement… »

Le roi en personne invitait sa sœur ? Son estomac se noua. Tous ses espoirs s'écroulèrent. Le miroir avait affirmé que c'était elle qui deviendrait reine, pas Katherine.

— Comment as-tu eu ça ? demanda-t-elle, sa belle main tremblante.

Katherine ne remarqua rien. Ses yeux étaient lumineux, ses joues rosies.

— Grâce à mes pommes ! se rengorgea-t-elle. Le roi en redemande toutes les semaines, et cette fois, il souhaite que je les lui apporte moi-même ! C'est un homme si charmant, Ingrid. Je suis sûre que tu l'apprécierais. Et il m'a enjoint d'assister au bal ! Tu te rends compte ?

— Non. J'ai du mal à y croire, répondit Ingrid d'un ton monocorde.

Katherine serra encore sa sœur contre elle, ce qui était sans doute préférable. Ingrid n'aurait jamais pu cacher la grimace de jalousie qui lui déformait le visage.

Blanche

Elle était libre.

Après ce qui lui parut être une éternité à errer dans les bois, les arbres s'étaient écartés et Blanche avait découvert une clairière. Elle inspira profondément, comme si elle avait retenu son souffle, ainsi que ses peurs, pendant toutes ces années. Les murmures qui l'avaient accompagnée dans la forêt avaient disparu, remplacés par le pépiement accueillant des oiseaux. Une fois habituée à la luminosité de l'après-midi, elle prit un instant pour étudier son environnement. Le sol était tapissé d'herbe verte et grasse, les arbres et les fleurs débordaient de vie, mais l'endroit était clairement différent de la prairie où le chasseur l'avait amenée. D'ailleurs, elle ne se rappelait pas avoir déjà vu un terrain escarpé comme celui-ci. Des grands rochers sortaient de terre comme des montagnes. Elle aperçut l'entrée d'une grotte près de laquelle était accroché un panonceau de bois, ce qui signifiait que ces lieux étaient fréquentés. C'était bon signe. Elle n'avait aucune intention de s'aventurer dans cette caverne sombre alors qu'elle venait juste de trouver la lumière.

Blanche passa devant la bouche de la grotte sans s'arrêter. Elle espérait repérer un sentier ou une route qui pourrait la conduire… Où ? C'était le cœur du problème. Elle ne pouvait retourner au château, pas tant que la reine voulait sa mort. Elle soupira. Elle essaya de faire le vide dans sa tête et d'ordonner à ses pieds douloureux de continuer à avancer. Elle devait trouver un endroit où se reposer, reprendre ses esprits et décider de la suite des événements.

Un vanneau huppé plana près d'elle en pépiant gaiement, comme s'il chantait. Hypnotisée, Blanche le suivit. Quelle curieuse coïncidence de voir l'oiseau préféré de sa mère deux fois dans la même journée, d'abord dans la prairie du chasseur, puis ici. À croire que sa mère était avec elle et l'incitait à avancer. Elle admira l'oiseau virevolter au-dessus de la clairière avant de se poser sur… un toit. Une chaumière se dressait au milieu d'un monticule d'herbe tel un mirage. L'oiseau chanta encore. Il semblait l'inviter. Puis il s'envola.

Après des heures de néant, voilà qu'elle tombait sur cette petite maison au fond des bois. C'était forcément une illusion. Mais alors qu'elle s'en approchait, les jambes de plus en plus lourdes, la maisonnette ne disparut pas. Elle l'étudia plus en détail. Un petit oiseau était gravé dans la porte en bois. Ce même oiseau était aussi sculpté dans les petits volets qui encadraient les fenêtres. Blanche sentit son cœur bondir. Ce vanneau était peut-être un porte-bonheur.

Un brasero était encore fumant devant la maison. La chaumière n'était donc pas abandonnée ! Peut-être que les habitants accepteraient de lui offrir de quoi se restaurer. Elle pressa le pas jusqu'à la porte et frappa doucement. Elle imaginait difficilement ce que l'on penserait d'elle en la voyant ainsi : sa robe était maculée et déchirée, des feuilles étaient emmêlées dans ses cheveux. Quoi qu'il en soit, même sans cela, il était peu probable qu'on la reconnaisse. Mis à part les habitants du château, personne n'avait vu la princesse depuis des années.

Comme personne ne répondait, Blanche pressa une oreille contre la porte. Tout était calme à l'intérieur. Elle toqua une fois de plus, pour être sûre, mais personne n'arriva. Elle soupira, sentant l'espoir la quitter de nouveau.

Elle ne pouvait pas continuer à errer dans la forêt. Elle devrait attendre que le propriétaire revienne. Elle jeta un coup d'œil à travers la vitre poussiéreuse près de la porte. À l'intérieur, elle vit un fauteuil confortable. Oh, comme elle avait envie de s'y prélasser, ne serait-ce qu'un instant ! Avec un élan d'audace qui la surprit, elle posa la main sur la poignée et la tourna lentement. La porte s'entrouvrit avec un grincement. Blanche se retourna. Personne n'approchait. Serait-ce si terrible d'attendre à l'intérieur ?

— Bonjour ? appela-t-elle.

Pas de réponse. Si elle doutait encore que la chaumière soit habitée, tous ses soupçons se dissipèrent dès qu'elle franchit le seuil. Il y avait des bols de bouillie partout dans la pièce, même sur le fauteuil qui lui faisait tant envie. Le sol et les tables étaient jonchés de vêtements et de petites chaussettes dépareillées, de livres ouverts et… Était-ce une pioche ? Mais qui vivait donc là ? Curieuse, Blanche se mit à explorer le logis.

Ce qui ne faisait aucun doute, c'était que la chaumière avait grand besoin d'être nettoyée. La pièce principale, qui servait de salle à manger et de salon, était tiédasse et empestait l'humidité, comme si les fenêtres n'avaient jamais été ouvertes. La table était encombrée de vaisselle sale. Quand ces plats avaient-ils été lavés la dernière fois ?

Le fauteuil était toujours aussi attirant, mais Blanche ne savait que trop bien ce qu'il se passerait si elle s'y installait (après avoir enlevé le bol de bouillie, bien sûr). Elle serait de nouveau dévorée par de sombres pensées. Sa mère avait été assassinée – par sa propre sœur. Son père savait-il vraiment ce qui était arrivé à son épouse ? Était-ce pour cela qu'il semblait rongé par le chagrin ? Est-ce que tante Ingrid avait aussi manigancé pour faire disparaître le roi ? Ces idées pourraient facilement la tétaniser. Or, elle devait garder la tête froide. Il lui fallait un plan. Pour l'heure, elle avait besoin de faire quelque chose d'utile avec ses mains. Faire le ménage lui avait permis d'occuper ces longues années de solitude au château. Elle pouvait bien continuer quelques heures encore.

Elle rassembla donc la vaisselle sale et la déposa dans l'évier afin de la laver. C'est alors qu'elle remarqua sept petites chaises.

C'étaient donc des enfants qui vivaient là ? En observant mieux la pièce, Blanche vit que les chaussettes étaient de petite taille, de même que la chemise accrochée à la porte. Elle ne trouva aucune tenue de taille adulte ni aucun mobilier. Les enfants vivaient-ils seuls, sans parents ni tuteurs ? Son cœur tressauta. Si c'était vrai, alors c'étaient des orphelins, tout comme elle. Pauvres petits. Elle se demanda où ils pouvaient bien être.

Au moins, ils trouveront une maison propre en rentrant. Avec un regain d'énergie inattendu, Blanche regroupa les vêtements sales dans un panier. Elle lava tous les plats et balaya le parquet. Elle épousseta les vitres avec un vieux chiffon, puis sortit dans le petit jardin. Elle découvrit avec ravissement des légumes mûrs à l'aspect délicieux. Son estomac gronda. Elle se rendit alors compte qu'elle n'avait rien avalé depuis son petit-déjeuner au château, qui lui semblait remonter à des jours plus tôt.

Elle cueillit quelques légumes et retourna en cuisine pour préparer une soupe comme Mme Kindred le lui avait appris quand elle était petite. Elle laissa la marmite sur le feu et en profita pour dresser la table. Lorsqu'elle eut terminé, elle n'était pas encore pleinement satisfaite. Elle retourna dehors. Un bouquet de gerbes d'or illuminerait parfaitement le petit salon. Elle songea au passage que c'était une manière surprenante d'achever la tâche pour laquelle elle avait quitté le château. Lorsqu'elle revint avec les fleurs, elle ne put trouver de vase et décida de les placer dans un pichet qu'elle déposa au centre de la table. *Maintenant*, la pièce était présentable.

Elle se tourna vers l'escalier au fond de la salle à manger. Si le bas était si peu soigné, elle craignait de voir l'état des chambres. Cependant, une petite partie d'elle espérait qu'elle aurait autant de travail à l'étage, pour continuer à s'occuper l'esprit.

En haut, elle découvrit sept petits lits alignés dans le réduit. Tous étaient défaits. Elle s'attela donc à remettre la literie, à taper les oreillers et à replacer les petits souliers éparpillés dans la chambre au pied de chaque lit. Les cadres étaient sculptés, remarqua-t-elle, et de drôles de noms y étaient inscrits. Ce ne pouvaient être les vrais noms de ces enfants… *Simplet ? Grincheux ? Atchoum ? Timide, Joyeux, Prof et Dormeur ?* Ils avaient de toute évidence le sens de l'humour. Et des lits très confortables. Rien qu'à les regarder, Blanche sentit monter un bâillement. Il n'y avait qu'une petite lucarne, qui laissait passer peu de lumière. Dehors, le soleil commençait à se coucher. Était-ce déjà le soir ? Cette journée avait été la plus longue de son existence et, pour la première fois de sa vie, elle n'était pas au château à la tombée de la nuit.

Le château. Mère. Père. Tante Ingrid et ses sombres desseins. Maintenant que les corvées étaient finies, les pensées la submergèrent comme une onde géante. Par chance, se dit-elle, l'appel du sommeil était tout aussi irrésistible. Les jambes lourdes, elle se laissa tomber sur le premier lit. Le matelas était doux et rassurant. Elle pourrait s'allonger juste une minute, poser la tête. Elle entendrait forcément la porte d'entrée et pourrait descendre à temps pour accueillir ses hôtes…

Quelques instants plus tard, Blanche dormait d'un sommeil profond.

Elle se réveilla en sursaut. Sept visages étaient penchés autour d'elle et la regardaient dormir. Elle se rassit d'un bond et scruta les hommes qui l'encerclaient. Elle était désorientée. Il lui fallut un moment pour se souvenir d'où elle était et de pourquoi. Ah, oui, les enf… Mais ce n'étaient pas des enfants ! C'étaient des hommes adultes. De petite taille, certes, mais le regard mature ne laissait aucun doute. Sans parler de leurs barbes. L'un d'eux avait même le poil grisonnant. Leurs vêtements étaient couverts de poussière, leur front et leurs joues maculés de suie. Elle se sentit stupide. Comment avait-elle pu croire que des enfants vivaient seuls ici ? Elle était la seule à avoir été abandonnée.

L'un des hommes la toisa d'un air mauvais :

— Qui êtes-vous ? Et que faites-vous chez nous ?

Elle hoqueta. Comment avait-elle pu croire que ce serait une bonne idée de pénétrer dans la demeure d'inconnus au lieu d'attendre dehors ? Mais elle avait encore la tête engourdie.

— Allons, est-ce une manière de parler à notre invitée ? s'indigna celui avec un ventre rond et de longs sourcils, avant de sourire à la jeune femme. Pardonnez-le, mademoiselle. Il n'y a que nous ici, et comme vous le voyez, nous n'avons pas l'habitude d'avoir des visiteurs.

— Encore moins des visiteurs qui… *atchoum !*… nettoient la maison, ajouta celui au nez rouge.

Atchoum, probablement.

— Est-ce que vous allez bien, mademoiselle ? demanda celui qui portait de petites lunettes.

Un autre, caché derrière lui, hasarda un coup d'œil. Il semblait mal à l'aise. C'était sans doute celui qui se faisait appeler Timide.

— Êtes-vous malade ? continua l'homme à lunettes. Je peux vous préparer un remède.

Elle secoua la tête. L'homme baissa ses verres et la regarda de plus près. C'était peut-être Prof ?

— Vous êtes sûre ? Il est rare de voir des gens s'aventurer jusqu'aux mines à pieds.

Ainsi était-elle près des mines. Elle avait entendu Père dire que le diamant était la ressource la plus importante du royaume. Du moins, autrefois. Il se disait que les mines étaient épuisées, désormais. De nombreux villageois avaient perdu leur travail, et le royaume avait dû renoncer à ces richesses, ce qui avait sans doute contribué à sa pauvreté actuelle.

— Veuillez pardonner mon intrusion, dit Blanche, gênée de sa naïveté.

— Mais non, ne vous inquiétez pas ! dit l'un avec un grand sourire, qui ne pouvait être que Joyeux. Personne ne nous rend jamais visite. C'est dommage, c'est agréable d'avoir de la compagnie. N'est-ce pas, les amis ?

Personne ne répondit.

— Je me suis perdue dans les bois et je suis arrivée jusqu'à votre chaumière. J'ai frappé, mais il n'y avait personne et la porte était ouverte, alors… j'étais si fatiguée que je me suis permis d'entrer.

Elle baissa les yeux sur sa robe en lambeaux et sentit ses joues s'enflammer.

— C'était malvenu, je suis désolée.

— Oh, mais elle parle ! Quel bonheur, grogna le petit homme à l'air renfrogné – Grincheux, à n'en pas douter. Vous ne nous avez toujours pas dit qui vous êtes. Une espionne ?

— Pourquoi es-tu toujours aussi méfiant ? intervint un autre en bâillant. Cette jeune femme avait seulement besoin de se reposer. Elle n'est pas là pour voler nos pierres précieuses.

— Ne lui dis pas qu'on a des pierres précieuses ! aboya Grincheux, et les deux se querellèrent.

— Je ne suis pas là pour vos gemmes, promit Blanche. Ces trésors doivent être soigneusement protégés, il en reste si peu dans le royaume.

Grincheux leva un sourcil et grogna.

— Si peu ? Balivernes ! La reine a fait fermer les mines pour se garder tous les diamants !

— Non, les mines ont été fermées il y a plusieurs années parce qu'elles étaient vides, répliqua Blanche, surprise.

Grincheux grogna encore et se tourna vers les autres.

— C'est ce qu'elle a fait croire aux gens, mais pourquoi pensez-vous qu'on est couverts de poussière ? Parce qu'on aime passer nos journées dans des grottes ?

— Parce qu'on ne se lave pas ? suggéra Atchoum, ce qui lui valut un regard noir de Grincheux.

— Parce qu'elle a ordonné à ses meilleurs mineurs de continuer à travailler en secret ! déclara le petit homme colérique. Des diamants, il n'y a que ça ! Mais aujourd'hui, elle accapare tout le résultat de notre travail. La Méchante Reine est un poison, je vous le dis ! Un poison !

Ses compagnons lui firent signe de se taire.

La Méchante Reine. Ainsi son surnom avait dépassé les murs du château. Combien de personnes encore souffraient de la cruauté et de l'avidité de sa tante ? Blanche devait en savoir plus.

— Je vous présente toutes mes excuses. J'ai fermé les yeux sur ce qu'il se tramait dans le royaume.

— Comme tout le monde, bougonna Grincheux. Mais qui êtes-vous ? Vous ne nous l'avez toujours pas dit.

Les petits hommes la regardaient avec un air intrigué. Elle hésita. Le peuple connaissait-il encore son nom ? Quand elle était petite, ses parents l'emmenaient partout et la présentaient à tout le monde. Mais depuis que sa tante Ingrid était devenue sa tutrice, elle était restée cloîtrée dans sa tour d'argent. Les gens pensaient-ils qu'elle les avait abandonnés, comme son père avant elle ? C'était ce que prétendait toujours Ingrid, ajoutant que sa tête était mise à prix. Mais Blanche en doutait, désormais. Peut-être savaient-ils qu'elle était prisonnière, tout comme eux ?

— Je suis Blanche-Neige.

— Blanche-Neige ! répétèrent les sept hommes à l'unisson.

— La princesse ! s'exclama Prof en retirant son bonnet. C'est un honneur, Votre Alt...

— Partez d'ici ! ordonna Grincheux en même temps, sous les yeux inquiets de Blanche.

— Ce n'est pas une manière de parler à une princesse ! rétorqua Joyeux, et tous les nains se disputèrent encore.

Grincheux se redressa de toute sa taille.

— C'est la princesse, bande d'idiots ! Vous savez ce que ça veut dire ? Si la Méchante Reine sait que Blanche-Neige est ici, et que nous lui avons parlé des mines, elle exercera sa vengeance sur nous !

— Elle me croit morte, expliqua simplement Blanche. Elle a essayé de me faire tuer ce matin.

D'autres se découvrirent le chef. Un lourd silence tomba.

— Oh, Altesse..., fit Prof, abasourdi. Nous sommes heureux que vous soyez en vie. Nous espérions sincèrement que vous réussiriez à vous échapper. Nous avons toujours su que vous étiez le dernier espoir du royaume.

C'était ce que le chasseur avait dit aussi. Pourquoi ne l'avait-elle pas compris plus tôt ? Elle avait laissé tomber sa mère, son père, son royaume. Cela ne pouvait plus durer.

— J'aimerais que ce soit le cas, mais... J'ai échappé à la mort, pour le moment, et cette journée me paraît interminable. Pourtant, j'ai vécu de très longues journées, dit-elle en repensant aux jours sombres où sa mère était morte, où son père avait disparu. Lorsque j'ai trouvé votre chaumière, j'étais à bout de nerfs, à bout de force. Je ne pouvais plus continuer. Votre maison me semblait si confortable, je n'ai pas pu résister. Pour vous remercier de votre gentillesse, j'ai fait le ménage et j'ai préparé le repas. Mais je peux partir maintenant, si tel est votre désir.

Grincheux sembla apprécier cette suggestion, mais Blanche vit bien que les autres n'étaient pas du même avis.

— Restez donc pour le souper, Altesse, l'enjoignit Joyeux. Nous aimerions en savoir plus sur votre voyage.

— Merci. Merci du fond du cœur.

Blanche était soulagée de pouvoir rester avec eux, ne serait-ce que quelques heures de plus. Elle tendit le bras et prit la main du petit homme le plus proche d'elle. Celui-ci recula nerveusement, sans dire un mot. Il lui adressa un sourire depuis le fond de la chambre. Avait-elle outrepassé les règles ?

— Simplet ne parle pas, lui expliqua Joyeux. Mais c'est un brave garçon. Venez, princesse. Continuons à discuter autour d'une bonne soupe. Voilà des années que nous n'avons pas savouré un bon repas !

— Tu insinues que mon ragoût n'est pas bon ? s'indigna Grincheux.

— Il est… comestible. Parfois, répliqua Atchoum.

— Vous avez le temps d'aller vous laver pendant que je sers la soupe, suggéra Blanche.

Sa tante aurait été horrifiée à l'idée d'une princesse servant ses sujets, mais Blanche aimait pouvoir se rendre utile, pour une fois. Et elle était heureuse d'avoir de la compagnie. Malgré tout, les hommes continuaient de la dévisager.

— Se laver ? répéta Timide. Oui, allons-y, dit-il en faisant signe aux autres.

Un murmure mécontent s'éleva, mais les sept hommes se dirigèrent vers le lavoir tandis que Blanche remplissait les bols. Simplet alluma un feu, ce qui réchauffa rapidement la pièce. À table, les nains burent bruyamment leur soupe sans parler. Grincheux gardait la princesse à l'œil, mais il détournait les yeux chaque fois que leurs regards se croisaient. Entre la cheminée et les lanternes allumées aux quatre coins de la pièce, Blanche se sentait en sécurité. C'était une sensation radicalement différente de ce qu'elle avait éprouvé ces dernières heures. Elle se sentait enhardie.

— C'était délicieux, princesse, se réjouit Joyeux en se tapotant la panse.

— Je suis heureuse que vous aimiez. Pendant que nous digérons, j'espérais que vous accepteriez de m'en dire plus sur les mines de diamants et les décisions de la reine.

Grincheux abattit sa cuillère sur la table.

— Vous voyez ? Je vous avais bien dit que c'était une espionne !

— Si je veux mettre fin au règne de ma tante, je dois savoir ce qu'elle a fait subir au peuple. Vous ne pensez pas ? demanda Blanche en fixant tour à tour Grincheux et Prof. Comme vous le disiez, je suis peut-être le dernier espoir du royaume.

Elle espérait ne pas avoir dépassé les limites, mais maintenant qu'elle avait eu une esquisse des méfaits de sa tante, elle voulait voir le tableau complet.

Grincheux se balança si loin sur sa chaise que Blanche pensa qu'il allait tomber. Il la regarda droit dans les yeux.

— Très bien. Nous vous dirons tout. Mais nous aussi, nous avons quelques questions.

— Ah bon ? s'étonna Timide, sous le regard désapprobateur de son frère.

— Cela me semble juste, accepta Blanche. Pour commencer, parlez-moi de l'état des mines.

Les hommes se regardèrent les uns les autres.

— La reine détruit notre commerce depuis plusieurs années, se plaignit Grincheux.

— Le roi Georg nous demandait d'extraire une quantité définie de pierre, précisa Prof. En échange, nous pouvions garder une part de nos découvertes.

— Mais cette reine veut tout pour elle ! Elle est si égoïste qu'elle a fait croire à tous les royaumes que les mines étaient épuisées. Mais c'est faux ! cracha Grincheux.

— Nous avons entendu des rumeurs sur les richesses qu'elle s'attribue, dit Joyeux.

— Les tapisseries et l'or destinés au commerce finissent au château, enfermés dans ses quartiers, alors que les habitants du royaume meurent de faim ! ajouta Atchoum.

— Et malgré ça, elle envoie ses hommes de main vérifier nos mines et s'assurer que nous lui donnons tout, précisa Timide.

Blanche serra les poings.

— J'ignorais tout cela. Comment s'en est-elle tirée si longtemps ?

— Ses gardes la protègent et sa cour craint sa rage, expliqua Dormeur. Personne ne remet en cause ses ordres.

— Nous sommes des hommes d'honneur. Nous ne sommes peut-être pas une famille au sens traditionnel, mais nous vivons ensemble depuis des années, et nous arrivons à peine à survivre, se lamenta Joyeux.

— Regardez autour de vous, princesse, suggéra Prof en balayant la pièce de la main. Est-ce que nous vivons dans l'opulence ? Non. Nous ne pouvons même plus payer ses taxes.

— Nous gardons des diamants cachés pour les périodes de grande disette, indiqua Dormeur.

— Je ne dirai rien, jura Blanche. D'après ce que j'en retiens, c'est le royaume qui a une dette envers vous. Je ne prendrai pas ce qui vous revient. Vous pouvez me faire confiance.

— Confiance ! Pfff ! C'est votre tante ! souligna Grincheux.

— Mais ce n'est pas ma famille. En tout cas, elle ne m'a jamais traitée comme telle. Même après la mort de ma mère et la disparition de mon père. Elle m'a laissée me débrouiller seule.

Blanche aperçut alors un oiseau gravé sur le manteau de la cheminée. Elle repensa à sa mère. Elle aurait adoré cette maison de poupée et ses habitants. Elle aurait voulu tout savoir sur leurs craintes et leurs triomphes. Elle aurait essayé de les aider. Mais l'ancienne reine n'était plus là, c'était à Blanche de prendre ses responsabilités.

— Le royaume tombe en ruine. Comme vous l'avez dit, le peuple a besoin d'aide.

Elle songea à sa mère, qui essayait de venir en aide à tous ceux qu'elle croisait. Elle songea à son père, qui ouvrait les portes pour que le peuple se sente chez lui. Sa tante ne faisait rien de tout cela.

— Elle n'est pas digne de régner sur ce royaume.

— Et vous pensez pouvoir prendre sa place ? l'interrogea Grincheux, sceptique. Alors qu'il y a une heure encore, vous ignoriez tout de ce qu'il se tramait ici ! Sans compter qu'elle veut votre mort. Vous n'avez aucune chance d'y arriver seule.

C'est peut-être bien vrai, se dit Blanche, le cœur soudain lourd. Elle n'avait pas d'armée, tandis que la reine maîtrisait la magie. Blanche n'avait rien. C'était peut-être naïf de croire qu'elle pouvait sauver son royaume, mais maintenant qu'elle connaissait la vérité, elle ne pouvait pas non plus rester les bras croisés.

— Elle aura besoin de notre aide, suggéra Joyeux.

Blanche se tourna vers lui, le regard empli d'espoir. Des amis. Des alliés. Voilà ce qui pourrait faire la différence.

— Toute aide sera la bienvenue.

— Elle ne peut pas rester là, dit Grincheux. Nous avons suffisamment d'ennuis.

— Tous les mois, la reine envoie ses hommes pour nous surveiller, expliqua Atchoum. Ils sont passés il y a quelques jours, donc nous sommes tranquilles pour un moment. Vous êtes en sécurité ici, mais j'ai peur que nous n'ayons pas grand-chose à vous offrir. Nous arrivons à peine à terminer le mois.

— En sécurité ? Elle ne reste pas ! répéta Grincheux. La reine sait déjà probablement où vous êtes. Elle vous a peut-être fait suivre. (Il regarda par la fenêtre.) Elle maîtrise la magie noire ! Elle a des yeux partout !

Quelques-uns des nains semblèrent inquiets.

— Mais elle me croit morte, leur rappela Blanche en se levant. La reine voulait se débarrasser de l'héritière pour rester sur le trône. Si j'en crois ce que vous affirmez, elle n'a que faire de notre peuple.

Elle s'éclaircit la gorge pour mieux laisser parler la colère et l'indignation.

— Son règne ne doit pas durer davantage. Je me battrai jusqu'à mon dernier souffle.

— Et si elle s'en prend à nous parce que nous vous avons accueillie ? demanda Timide. Nous avons réussi à ne pas attirer son attention jusqu'à présent.

— Qu'est-ce que tu dis ? Elle nous prend tout ! lui rappela Prof. Bientôt, nous n'aurons plus rien, et elle se débarrassera de nous aussi. Moi, je dis qu'il faut aider la princesse.

Simplet se leva et vint se poster à côté de Blanche.

— Moi aussi, dit Joyeux, imité par Atchoum et Dormeur.

Timide se joignit à eux. Les six nains scrutèrent la décision de Grincheux. Il restait assis, les bras croisés sur la poitrine, à fixer le feu.

— Je ne la laisserai pas torturer mon peuple plus longtemps, déclara Blanche d'une voix assurée. Si vous m'aidez, je ferai tout pour restaurer la paix et la prospérité dans ce royaume. Je sais que je vous ai abandonnés, mais ça ne se reproduira pas. Vous ignorez ce que j'ai moi-même subi. Tout cela parce que j'avais peur.

Elle redressa ses épaules et regarda ses compagnons avec une détermination de fer.

— Mais je n'ai plus peur.

Grincheux l'étudia un long moment. Il prit enfin la parole :

— Très bien. Nous vous aiderons.

Ses amis sourirent.

— Merci.

Blanche sentit un profond soulagement s'étendre dans tout son corps. Pour la première fois depuis bien longtemps, elle n'était plus seule. Elle avait trouvé ces petits hommes et avait su les convaincre de se joindre à sa cause. C'était le destin.

Mère. Père. Je ne vous décevrai plus.

Enfin, Blanche se rassit.

— Mais tout d'abord, il nous faut un plan.

Simplet courut dans la pièce et rapporta un parchemin ainsi que quelques plumes. Elle en prit une pendant que les autres nains regagnaient leur place. Elle les regarda un à un.

— Alors, comment allons-nous reprendre possession de notre royaume ?

Ingrid

Dix-neuf ans plus tôt.

Ils n'auraient pas pu être plus heureux.

Ingrid avait pensé que l'attirance s'étiolerait. Le paysan et son épouse ne se regardaient presque plus. Ses propres parents, bien que ses souvenirs d'eux ensemble soient vagues, n'avaient jamais montré le moindre signe d'affection l'un pour l'autre devant leurs filles. Mais ce qui liait le roi Georg et Katherine était différent. Leur amour ne cessait de grandir.

Le paysan n'avait eu aucun scrupule à donner la main de Katherine, à la seule condition qu'il n'ait pas à s'encombrer d'Ingrid. Katherine lui avait proposé une chambre au château, mais Ingrid avait refusé la pitié de sa sœur. Elle s'était installée aussitôt dans l'atelier de son maître. Ce n'était pas l'idéal, mais au moins, elle était libre.

Elle garda un sourire crispé de circonstance durant tout le mariage royal, si pompeux soit-il. Tout le monde se passionnait pour ces noces : une simple roturière épousait un roi. Katherine avait séduit Georg par sa bonté et son ingéniosité. Le royaume était à l'arrêt, ce jour-là : aucun sujet ne travaillait, aucun champ n'était labouré, aucune carrière n'était exploitée. Le peuple tout entier était invité à la fête. Ingrid estimait que c'était un geste stupide. Le royaume aurait pu être pillé pendant que ses habitants dansaient, mais Katherine était persuadée qu'il n'en serait rien. Et Georg, bien sûr, l'écoutait.

C'était tout ce qu'il savait faire : il buvait les paroles de Katherine.

C'en était écœurant.

C'était Katherine qui avait suggéré que les portes du palais soient régulièrement ouvertes à l'occasion de réceptions publiques durant lesquelles le roi pouvait rencontrer ses sujets. C'était elle qui avait proposé que le royaume soutienne davantage les exploitations agricoles, afin que le paysan et sa femme puissent ouvrir une échoppe au village où tous les habitants pourraient acheter des fruits et légumes frais et abordables. Elle avait mis tellement de cœur et de sueur à redonner de l'éclat au château pour qu'il soit admiré de tous. Elle avait aussi commandé cette volière ridicule pour recevoir des invités dans les jardins et contempler les volatiles qui peuplaient ces terres.

Elle avait en outre mis un terme aux petites extorsions : c'en était fini d'exiger un prix plus élevé pour les plus belles pommes du verger. Encore une fois, Ingrid réprouvait cette décision : comment le royaume pouvait-il s'enrichir s'il n'exploitait pas ses atouts ? À la place de sa sœur, elle n'aurait jamais été aussi laxiste envers les commerçants, elle n'aurait jamais autorisé le troc et les échanges avec les royaumes voisins. Ingrid, elle, aurait tout fait pour garder les richesses à leur place, dans le royaume. Elle n'aurait jamais laissé son époux paraître faible aux yeux des ennemis. Mais Katherine restait intransigeante. Et Georg était épris de Katherine, et non d'Ingrid. Il n'avait d'yeux et d'oreilles que pour elle. Elle l'avait convaincu qu'être bon envers son peuple était plus important qu'être craint. Ingrid savait que le jour viendrait où ils regretteraient cette décision, mais pour l'heure, le royaume était florissant. De même que leur amour.

« Aussi vrai que le ciel est bleu et l'herbe verte, le roi ne vacillera pas. Il n'y a que sa reine qu'il écoutera », lui avait dit le miroir quand Ingrid s'était lamentée du sort du royaume.

Quelques mois après le mariage, Katherine s'était présentée à la boutique, entourée d'une escorte de soldats.

Le maître d'Ingrid s'était enfui en voyant les gardes, mais Ingrid était restée là, toisant sa sœur de la tête aux pieds. Katherine était vêtue d'une robe taillée sur mesure pour elle dans la soie la plus fine du royaume. Ses cheveux étaient désormais regroupés en un chignon de bouclettes sur sa tête. Son diadème semblait trop grand, comme si elle était déguisée.

— Que veux-tu ?

Ingrid savourait l'inconfort évident de sa sœur dans l'échoppe. La jeune reine étudiait les potions, les herbes et les grimoires auxquels elle n'entendait rien. Elle était en terrain hostile, et cela convenait parfaitement à Ingrid. Elle se moquait de ce que pensait Katherine ou de son nouveau titre. Elle serait toujours sa petite sœur.

Katherine le sentit. Elle s'avança, talonnée par ses gardes.

— Ingrid, je regrette de ne plus te voir tous les jours.

— C'est *toi* qui es partie. Je ne t'aurais jamais abandonnée.

— Je me suis mariée, rétorqua la reine, blessée. Je ne t'ai pas oubliée.

— Oh que si, fit l'aînée en détournant les yeux, le regard irrésistiblement attiré vers l'arrière-boutique, où le miroir l'attendait. Tu croyais que j'allais survivre à la ferme sans toi ? Je n'ai tenu qu'une journée avant de me souvenir que je n'étais pas la bienvenue. Alors, maintenant, je dors ici, sur le sol froid de la boutique, annonça Ingrid en foudroyant sa sœur du regard. Tu es satisfaite ?

Elle était allée trop loin. Les gardes s'avancèrent vers elle, l'épée tirée.

— Personne ne menace la reine, aboya un soldat à la voix rocailleuse.

Katherine leva une main.

— Tout va bien. Baissez vos armes, s'il vous plaît.

C'en était presque comique. Sa sœur avait un pouvoir incommensurable et ne savait même pas comment l'utiliser.

— Je t'ai offert un abri au palais plusieurs fois depuis mon mariage, mais tu as toujours refusé.

— Je ne veux pas de ta pitié.

— Ce n'est pas de la pitié ! insista Katherine. Je n'aime pas te savoir ici, seule, à pratiquer la sorcellerie jour et nuit.

— Ce n'est pas de la sorcellerie.

Elles avaient eu cette discussion bien trop souvent.

— Peu importe, dit la reine sur un ton plus doux, tout en s'enveloppant dans sa cape. Je n'aime pas que tu restes là, toute seule la nuit, quand ton maître s'en va. Si tu ne veux pas de chambre au château, peut-être accepteras-tu une place à la cour ?

— Comment ? s'étonna Ingrid.

Katherine affichait un sourire timide, désormais.

— J'en ai déjà parlé à Georg. Il a accepté, bien sûr. Tu es ma sœur, ma seule famille, et je veux que tu sois auprès de moi. Je veux pouvoir prendre soin de toi comme tu as pris soin de moi.

— Je n'ai pas besoin d'un chaperon, se rembrunit Ingrid.

— Je le sais bien… mais moi, si. J'ai encore tellement à apprendre, et je n'y arriverai pas sans toi. Tu le sais. Je t'en prie, dis oui.

Dis oui, exige ton dû. Elle entendit clairement la voix dans sa tête. *Tu sais quel est ton statut.*

Mon statut..., songea Ingrid.

— Très bien. J'accepte.

Katherine sauta d'excitation et frappa dans ses mains.

— Mais je veux être ta demoiselle de compagnie.

— Oh, s'interrompit Katherine. On m'en a déjà attribué une.

— Alors, donne une autre place à cette femme, insista Ingrid.

Si elle devenait demoiselle de compagnie de la reine, elle pourrait être la voix de la raison pour sa sœur. Et donc pour le roi Georg.

Toi seule peux t'immiscer dans les cœurs et dans les têtes. Ensemble, nous dicterons toutes nos requêtes.

Katherine sourit.

— D'accord. Je te nomme donc demoiselle de compagnie ! Viens avec moi, et oublie cet endroit sinistre, dit-elle avec un regard de dégoût pour la boutique.

— Je dois rassembler mes affaires. Je viendrai demain.

Elle devait trouver un moyen de sortir le miroir sans que son maître s'en aperçoive. Il ne risquait pas de le chercher ni de s'en souvenir ; le vieil homme était sénile et en avait sans doute oublié l'existence même.

— C'est entendu ! Dès demain, ma sœur, tu seras toute à moi !

Les deux sœurs se serrèrent les mains, mais Ingrid, de même que le miroir, pensait exactement l'inverse.

Katherine l'écoutait effectivement... parfois. Mais jamais pour les sujets les plus importants. Ingrid accordait toute son attention à sa sœur, mais elles finissaient inévitablement par être interrompues pour des questions aussi triviales que ces ridicules réceptions mondaines. Qui plus est, la reine voulait que sa demoiselle de compagnie se montre plus aimable envers les domestiques du château. Elle lui demandait de sourire davantage. Elle insistait pour que les prix des récoltes soient équitables. Elle refusait que le roi Georg parte en guerre contre les autres royaumes, malgré les conseils d'Ingrid. Celle-ci avait bon espoir que Georg perde la vie au combat afin que la veuve devienne seule souveraine.

Pour l'heure, la préoccupation principale d'Ingrid avait toutefois été de déplacer le miroir au château. Il lui avait fallu plusieurs semaines avant d'élaborer un stratagème qui lui permettrait de faire entrer l'objet sans que Katherine en soit informée, mais elle avait fini par trouver une solution. Sous couvert de l'obscurité, avec l'aide de deux gardes qu'elle comptait soudoyer (et menacer de mort s'ils parlaient de cette affaire), elle pourrait apporter le miroir dans ses appartements et le cacher dans la vaste garde-robe attenante. Elle le garderait sous clé et interdirait aux serviteurs de pénétrer dans la pièce, même pour faire le ménage. Elle se justifierait en affirmant qu'elle était assez grande pour s'occuper de ses affaires. De toute manière, quelques toiles d'araignée n'avaient jamais fait de mal à personne. Elle avait d'autres soucis plus importants.

Lorsque la nuit arriva enfin, elle guida les gardes jusqu'à l'échoppe de son maître. Mais elle ne s'attendait pas à ce que le vieil homme l'y attende.

— Maître, dit Ingrid en s'inclinant, une vieille habitude qu'elle avait gardée malgré tout le dégoût que cela lui inspirait.

— Je sais pourquoi tu es là. Tu ne peux prendre ce qui ne t'appartient pas.

— Maître ?

Son cœur se mit à battre plus fort. Il ne pouvait quand même pas parler du miroir. Elle avait toujours été extrêmement prudente et s'était attelée à le cacher soigneusement. Il lui était impossible de savoir qu'elle communiait avec lui. Il avait même dû oublier qu'il possédait un tel objet. Après tout, quand elle l'avait trouvé, il gisait au milieu des reliques cassées.

— Je ne suis pas stupide, Ingrid, gronda le maître d'une voix chargée de colère. Tu crois que j'ignore ce qui se trame sous mon toit ? Tu crois que mes yeux me trahissent ?

— Je ne suis pas sûre de comprendre ce que vous voulez dire.

Croyait-il qu'elle venait le voler ? Mais elle ne faisait que reprendre ce qui était à elle. Elle avait réparé le miroir, elle l'avait entretenu. Il s'était donné à elle. Il faisait partie d'elle, désormais. Elle ne partirait pas les mains vides. Elle voulut entrer dans la boutique, mais le maître lui bloquait le chemin. C'en était trop.

— Laissez-moi passer, vieil homme. J'ai des affaires à récupérer.

Elle le poussa et pénétra dans l'échoppe, suivie du maître et des gardes.

— Ce miroir n'est pas à toi ! Il appartient à cette boutique, et donc à moi, dit-il en se dressant devant elle. Qui t'a donné la permission de le réparer ? Ne crois-tu pas qu'il y avait une bonne raison de le laisser mourir ? Ne t'es-tu pas demandé pourquoi je ne l'avais pas réparé moi-même ? Un miroir aussi puissant doit être détruit. Il est trop dangereux pour ce monde.

— Trop dangereux pour vous, peut-être, mais pas pour moi ! tonna Ingrid. Le miroir a vu mon potentiel, il m'a appelée. Il est donc à moi. Et je vais le récupérer. Tout de suite !

Elle l'écarta de nouveau et se dirigea droit vers la réserve, où l'objet était caché derrière un rideau. Même en son absence, il avait pris vie. La pièce était enfumée. Une légère brise se mit à souffler entre les quatre murs. Au loin, Ingrid entendit le tonnerre. Elle s'empara du miroir et se prépara à le déposer dans la voiture, à l'abri des regards, mais son maître s'interposa encore. Cette fois, il tenait une potion.

— Je te préviens, Ingrid. Repose ce miroir ou ce sera la dernière chose que tu toucheras dans ce monde.

— Vous seriez vraiment prêt à tuer votre apprentie pour un miroir ?

— Si c'est ce qu'il faut pour empêcher que l'obscurité ne dévore ton âme.

Il leva la main pour jeter la fiole. Ingrid n'osait imaginer quel poison elle pouvait contenir.

— Madame ? demanda un garde.

— Arrêtez-le ! ordonna Ingrid.

Tout se déroula si vite qu'elle n'eut pas le temps d'éviter le drame. Ces mots, si simples, avaient eu une tout autre signification pour les gardes. Alors qu'elle désirait seulement qu'ils lui retiennent le bras, les soldats interprétèrent son ordre comme un signal de mise à mort. L'instant suivant, le vieil homme gisait au sol dans une mare de sang, un couteau planté dans la poitrine. Il avait péri sur le coup. La fiole de poison était encore dans sa main. Ingrid sentit la bile lui remonter dans la gorge. Son maître était mort. À cause d'elle.

— Il faut partir, indiqua un garde. Vite !

Il tendit la main vers le miroir. Ingrid hésita une seconde avant d'accepter qu'il prenne l'objet.

Elle jeta un dernier regard à son maître, puis enjamba son corps inerte. Elle en profita pour récupérer la fiole de poison dans sa main encore chaude. C'était toujours bon à prendre.

Ingrid sortit de la boutique pour la dernière fois, la tête haute, sachant que le miroir était enfin sien.

Elle avait fait beaucoup de sacrifices pour l'avoir. Les souvenirs de cette nuit la hanteraient longtemps. Et même si elle vivait maintenant au château, et que son maître était mort et avait été enterré sans cérémonie, elle ne cessait de ressasser la première vision du miroir. N'avait-il pas affirmé qu'elle serait reine un jour ? Qu'elle était destinée à régner ?

Si la reine vit selon ses désirs, ton sort je ne peux garantir.

Elle avait été à deux doigts de briser le miroir en entendant ces paroles, mais elle avait retenu son geste. Elle n'osait pas. La petite voix qui la hantait, chaque jour un peu plus forte que la veille, lui disait qu'un tel geste la conduirait à sa perte. Elle ignorait si c'était vrai, mais elle n'avait aucune intention de le vérifier. Elle se taisait et priait pour que son destin change, mais le miroir se faisait de plus en plus insistant.

Ne perds plus ton temps avec les basses corvées. Prends la couronne, accomplis ta destinée !

Ingrid essayait d'ignorer le miroir. C'était de sa sœur qu'il était question. Elle refusait de détruire la seule personne qu'elle avait jamais aimée. Certes, Katherine avait trouvé quelqu'un qu'elle aimait plus encore qu'Ingrid, mais Georg n'était qu'un parasite. Elle savait qu'elle pourrait facilement se défaire de lui.

Mais elle n'avait jamais imaginé qu'une autre personne encore concentrerait toute l'attention de sa petite sœur… Quelqu'un dont il ne serait pas si facile de se débarrasser.

Dix-sept ans plus tôt.

— Elle n'arrête donc jamais de pleurer ? se lamenta Ingrid en berçant le bébé sur ses hanches tandis qu'une armée de femmes aidait Katherine à enfiler sa robe.

Katherine s'en amusa.

— Bien sûr que si ! Tu dois la rassurer, Ingrid. La dorloter, lui dire que tout ira bien dans ce monde.

La dorloter ? Quel égoïsme de la part de cette enfant.

Deux ans s'étaient écoulés depuis qu'Ingrid avait pris ses quartiers au château. Non seulement l'amour de Georg et Katherine ne s'était pas flétri, mais sa flamme avait été ravivée par la naissance de leur premier enfant. La fille avait hérité des plus beaux attributs de ses parents, grâce au ciel. (Katherine trouvait Georg charmant, mais aux yeux d'Ingrid, il n'était pas plus gracieux qu'un crapaud.) Ils l'avaient baptisée Blanche-Neige. Avec ses joues de porcelaine, ses yeux ronds aux cils harmonieux et ses épaisses boucles noires, la princesse était adorée de tous… sauf d'une personne.

Quand la petite Blanche-Neige plongeait ses yeux dans ceux de sa tante, Ingrid était persuadée que la fillette pouvait voir la noirceur de son âme. Chaque fois qu'elle la portait – ce qui était fréquent, puisqu'elle était la demoiselle de compagnie de la reine et la tante de la princesse –, l'enfant criait.

De grosses larmes coulaient sur les joues de Blanche tandis qu'Ingrid essayait de la calmer. Mais quoi qu'elle fasse, la princesse était inconsolable dans ses bras.

— Regarde, je vais te montrer, dit Katherine en prenant la petite fille de six mois dans ses bras.

Le bercement gracieux de Katherine, associé à son sourire enjoué, apaisa instantanément Blanche. En quelques minutes, le bébé semblait en extase. Toutes les occupantes de la pièce se massèrent autour de la reine pour l'admirer.

— Notre reine était faite pour être mère, lança une femme de chambre qu'Ingrid ne pouvait supporter.

Elle la poussa.

— Katherine, tu as bientôt fini ? Nous devons parler des mineurs. Si ça ne tenait qu'à moi, je demanderais simplement aux ouvriers de travailler plus longtemps.

L'une des servantes lui adressa un regard dédaigneux qu'Ingrid ignora.

— Ainsi, nous pourrions doubler la production de diamants et augmenter radicalement nos profits.

Katherine ne lui répondit pas. Elle était corps et âme dévouée à son enfant. Cette Blanche-Neige détournait l'attention qui aurait dû être dévolue à Ingrid.

— Katherine ? insista Ingrid. Nous n'avons qu'une demi-heure pour en parler. Tu as une journée chargée, et nous n'aurons pas beaucoup de temps pour traiter cette question.

— Oh, Ingrid, fit la reine, les yeux toujours rivés sur sa fille. Les mines peuvent bien attendre un jour de plus. Profite donc de ta nièce avec moi.

— Mais…

C'était rageant ! Le royaume avait besoin d'être mené d'une main de fer. Ils pourraient vivre dans l'abondance et le luxe, si seulement ce roi pathétique osait taper du pied. Imposer des heures supplémentaires aux mineurs, même s'ils prétendaient que les mines devenaient dangereuses, leur permettrait de devenir plus riches que jamais.

L'heure est venue, ton rêve tu dois accomplir. Empare-toi du pouvoir, exauce tes désirs !

— Tu n'arrêtes pas de dire ça, mais ce n'est pas possible ! cracha Ingrid.

Tout le monde se tourna soudain vers elle. Venait-elle de parler tout haut ?

Pose ta main sur la glace, abandonne-toi à moi. Je te montrerai ce que tu ne vois pas.

Ainsi le miroir avait-il encore besoin d'énergie. Elle osait à peine se l'avouer, mais elle avait horreur de le toucher. Chaque fois qu'elle posait sa main dessus, le verre semblait briller plus fort tandis qu'elle se sentait faible et fatiguée. Ce n'était sans doute qu'une impression ; après tout, ce n'était qu'un miroir… Un miroir qui parlait à son âme. Elle l'avait déjà fait plusieurs fois, ce qui avait renforcé ses liens avec la magie. Elle connaissait désormais des sorts dont elle n'avait jamais entendu parler. Des idées brillantes pour remettre le royaume sur pied lui venaient spontanément à l'esprit. Mais elle détestait se sentir ainsi vidée.

— Tu disais, Ingrid ?

Katherine ne leva même pas la tête pour lui adresser la parole. Quelle indécence ! Cette enfant ridicule accaparait complètement sa petite sœur, et les obligations royales occupaient le peu de temps qui lui restait.

— Non, rien, murmura Ingrid, qui aurait préféré hurler.

Tu sais ce qui doit être fait pour la couronne. C'est la vie de la reine que tu bâillonnes, lui rappela le miroir.

Mais elle n'était pas encore prête à l'écouter.

Blanche

— J'ai appris quelque chose qui pourrait nous servir, aujourd'hui, annonça Joyeux en rangeant la dernière assiette dans le placard après l'avoir essuyée.

Les hommes et Blanche, répartis aux quatre coins de la chaumière, se tournèrent vers lui. Joyeux et Prof étaient de corvée de vaisselle, tandis que Simplet et Timide balayaient le sol. Grincheux s'occupait du feu. Blanche, Atchoum et Dormeur nettoyaient la cuisine.

La princesse vivait avec les petits hommes – les nains, comme ils s'appelaient eux-mêmes – depuis une semaine seulement, mais une routine rassurante s'était déjà installée. Ses sept compagnons refusaient catégoriquement qu'elle fasse le ménage ou la cuisine (« Vous êtes la princesse ! » protestaient-ils), et il fut donc décidé que les tâches ménagères seraient partagées entre eux et que Blanche s'occuperait simplement de planifier les repas pendant qu'ils étaient à la mine. Elle ne quittait pas la maison pendant la journée – elle l'avait promis à Grincheux. (« La reine a des yeux partout ! Ne laissez personne entrer sous notre toit ! ») Pour passer le temps, elle essayait d'élaborer des stratagèmes pour renverser sa tante. Malgré tout, elle détestait rester ainsi enfermée, même si elle en comprenait bien les raisons. Elle avait l'impression d'être de retour au château.

Le dîner était un moment convivial, et comme elle l'appréciait ! Qui se serait douté qu'il y avait tant de choses à se dire ? Elle aimait écouter les petits hommes parler de leur travail dans les mines. En retour, elle leur racontait son enfance au château ou dissertait sur l'espèce des oiseaux qu'elle avait aperçus par la fenêtre. Il y en avait tellement ! Après tant d'années passées dans le silence, Blanche avait soif de connaissances. Elle voulait tout savoir sur les nains et leur vie. Elle voulait savoir qui avait gravé la porte d'entrée et les meubles de la chaumière, ou encore pourquoi les daims et les oiseaux semblaient l'observer par la fenêtre quand elle était dans la cuisine.

— Ils vous apprécient sans doute, tout comme nous, rougissait Timide.

— Et c'est réciproque, répondait Blanche.

Elle pouvait leur parler chaque soir jusqu'à ce que les chandelles s'éteignent. Elle avait le sentiment de s'éveiller et de retrouver sa voix après des années d'obscurité silencieuse. Bien qu'elle ait promis aux nains de ne pas faire plus que sa part de corvées, elle ne pouvait s'empêcher de faire de petits gestes pour les remercier de leur gentillesse. Chaque jour, malgré leurs protestations, elle leur préparait un panier-repas. Elle reprisait les petites chaussettes. Et elle tricotait en secret des couvertures avec du fil et des aiguilles qu'elle avait trouvés. C'était encore l'été, mais elle avait remarqué qu'ils manquaient de couvertures dans leurs placards.

Le tricot l'aidait à passer le temps en leur absence et lui permettait aussi de réfléchir. Or, songer à sa mère sans savoir comment la venger la rendait anxieuse. Pendant que sa tante continuait à exercer son règne de terreur, Blanche paressait dans une petite chaumière confortable. Mais comme Grincheux le lui rappelait régulièrement : « Sans plan solide, vous ne ferez pas long feu. Et si vous mourez, tout le monde en pâtira. »

Ainsi, elle attendait. Elle cherchait des réponses. Comment pouvait-elle détrôner la Méchante Reine ? Elle n'était qu'une pauvre fille.

Une seule voix peut être très puissante quand elle se fait entendre.

C'étaient les mots de sa mère. Quand les sujets venaient présenter leurs doléances, il leur arrivait d'hésiter, de crainte que leurs griefs ne tombent dans l'oreille d'un sourd. Alors la reine Katherine prenait la parole et prononçait ces mots. Blanche, qui était assise non loin, la regardait et l'écoutait. La plupart du temps, les sujets surmontaient leur peur. Mais comment Blanche pourrait-elle parler au peuple si elle restait enfermée dans la forêt pendant que tout le monde la croyait morte ?

Dormeur bâilla à côté d'elle et la tira de ses pensées. Il avait les paupières lourdes. Les nains travaillaient de longues heures.

— J'ai entendu Fredrick, des Hauts-de-Noch, dire que de nombreux habitants du hameau ont l'intention de quitter le royaume, déclara Joyeux.

— De quitter le royaume ? répéta Blanche. Mais pourquoi donc ? Ils n'ont plus de travail ?

— Au contraire, ils en ont trop ! Et il y a trop de taxes. Ils n'ont plus les moyens de rester.

Blanche jeta son torchon.

— Je dois discuter avec ce Fredrick. Et avec tout le hameau ! Ils se sentent expulsés de chez eux, c'est intolérable.

— N'y songez même pas ! grogna Grincheux, le tisonnier à la main. Vous ne pouvez rien faire pour eux.

Blanche hésita, puis ses yeux s'écarquillèrent soudain.

— À moins que je ne parvienne à rassembler des hommes comme Fredrick et à leur donner une raison de se battre ! Si je vais voir mon peuple, si je prouve que la princesse est en vie et prête à reprendre son trône, peut-être que les villageois accepteront de m'aider à combattre la Méchante Reine.

— Mais si quelqu'un va voir la reine et lui dit ce que vous préparez…, s'inquiéta Timide.

Les sept nains se tournèrent vers la fenêtre de la cuisine. Ils avaient aperçu un corbeau à plusieurs reprises ces derniers jours et commençaient à se demander si la reine ne les espionnait pas. Mais si elle savait où se cachait Blanche, arguait Joyeux, pourquoi n'avait-elle pas encore agi ?

— Les gardes ne s'attardent pas dans les hameaux, lui rappela Prof. Ils viennent seulement lorsqu'il faut prélever les impôts. Tant que nous évitons les gardes, Blanche peut parler librement.

— Mais si la reine découvre ce qu'elle prépare..., commença Atchoum, qui s'interrompit pour s'essuyer le nez ; ses allergies étaient particulièrement virulentes ces derniers temps.

Blanche inspira profondément.

— Elle finira par apprendre que je suis vivante tôt ou tard. Je dois faire vite et réunir autant de sympathisants que possible. S'ils acceptent de me suivre, nous parviendrons peut-être à renverser la reine.

Grincheux frotta sa longue barbe blanche.

— C'est risqué. Mais ça pourrait fonctionner. Les opposants au régime, comme nous, ne doivent pas manquer. Nous pourrions essayer d'organiser une révolte et lancer une attaque contre le château à une date définie.

— D'ici quinze jours, annonça Blanche.

Tous les yeux se tournèrent vers elle.

— C'est peu, constata Dormeur.

— C'est tout ce que nous avons. Quand la reine saura que je suis en vie, les heures nous seront comptées. Nous devons être prêts. Dans quinze jours, répéta-t-elle sur un ton plus confiant qu'elle ne l'était réellement. Cela nous laisse assez de temps pour unir plusieurs villages.

— Et où allons-nous trouver ces alliés ? demanda Prof.

Joyeux frappa la table de la main :

— Dans les mines, les langues se délient ! J'ai entendu des hommes parler. Leurs hameaux sont tout proches.

Grincheux se dirigea vers un coffre, dans un coin du salon. Il l'ouvrit et en sortit un parchemin qu'il déroula sur la table. Tous les autres se rapprochèrent pendant qu'il aplanissait le papier. C'était une carte circulaire du royaume. Le château était au centre, et le territoire était séparé en quatre régions. Il y avait les terres cultivées où l'ancienne reine avait passé sa jeunesse, les mines où ils se trouvaient actuellement, une zone entièrement recouverte de forêt et une autre ponctuée de lacs. De petites maisons flanquées de noms étaient dessinées un peu partout. Le parchemin était jauni et fragile, mais cette carte détaillée était pour l'heure l'arme la plus précieuse de Blanche. Si elle voulait mettre fin au règne de sa tante, elle aurait besoin de bien plus que sept petits hommes à ses côtés. Elle devrait convaincre les habitants du royaume, un par un s'il le fallait, de se rebeller, de se battre avec elle. *Une seule voix peut être très puissante quand elle se fait entendre.*

Blanche passa délicatement la main sur un coin de la carte. Elle songea que les lieux représentés là, devant elle - ces endroits idylliques qu'elle n'avait jamais vus -, constituaient son royaume. C'était magnifique. C'était étourdissant.

— Par où commençons-nous ?

— Ici, dit Joyeux en désignant une petite rangée de maisons près d'une cascade. C'est le hameau de Fredrick. Ils ont eu beaucoup d'orages par là-bas, à tel point qu'il n'a pu se rendre à la mine tous les jours.

La veille, d'ailleurs, les nains étaient partis travailler plus tard que d'habitude pour cette même raison.

— Une grande partie du royaume est sous la pluie, d'après ce que j'ai entendu, ajouta Prof.

— Le ciel reflète l'humeur du peuple, grommela Grincheux.

— Nous pourrons nous déplacer discrètement pendant la nuit, décréta Joyeux.

— Il va nous falloir des armes. On ne pourra pas se débarrasser des gardes à mains nues, prévint Grincheux.

— Nous avons nos pioches ! s'exclama Prof.

— Ça ne suffira pas ! Vous n'avez pas entendu de quoi la reine était capable ? Elle a une armée à sa disposition. Une armée qui obéit à *ses* ordres, pas aux vôtres, ajouta Grincheux en direction de Blanche. Vous ne défiez pas seulement une reine, vous défiez une sorcière experte en arts occultes.

— Grincheux a raison, se rembrunit Joyeux. Nous allons avoir besoin de nos propres potions si nous voulons l'affronter.

— Il y avait une échoppe de magie sur la place du marché, autrefois. Elle y est peut-être encore, suggéra Atchoum. Il paraît que la reine travaillait là quand elle était jeune.

Grincheux lui donna un coup de bonnet :

— Espèce d'idiot ! On ne peut pas y aller ! Le propriétaire de cette boutique est forcément de mèche avec elle, le rabroua Grincheux, avant de se tourner vers les autres. Est-ce qu'il y a un autre endroit où nous pourrions trouver des objets magiques ?

Ils baissèrent les yeux vers la carte, comme si celle-ci contenait toutes les réponses. Mais Blanche ne vit aucun dessin de hutte ni de crâne légendé « Sorcellerie ».

Timide semblait nerveux.

— Dans les mines, les ouvriers parlent de ce qu'ils feraient s'ils étaient piégés. De comment ils s'échapperaient. J'ai entendu des hommes parler d'un élixir. De la sève d'un arbre des Bois Hantés qui permet de changer d'apparence. De devenir grand ou petit. De se transformer en oiseau ou en bœuf. N'importe quoi.

— Un *arbre* ? répéta sèchement Grincheux. C'est pas ça qui manque, dans les bois !

Timide recula.

— On dit que celui-ci a un visage, avec une gueule béante, comme s'il criait.

Blanche ferma les yeux. Un souvenir lui revint.

— J'ai vu cet arbre.

Elle rouvrit les yeux. Les battements de son cœur se calmèrent, sous le regard intrigué des nains.

— J'ai traversé les Bois Hantés, en fuyant le chasseur. C'était terrifiant, frissonna-t-elle. J'ai cru ne jamais revoir la lumière du jour.

La seule idée d'y retourner lui glaça les sangs. Les pensées qui l'avaient obsédée, les visions qu'elle avait eues, la sensation de solitude absolue qui l'avait presque dévorée… Elle se demanda si tout cela provenait aussi du pouvoir de l'arbre.

— Vous étiez seule, se radoucit Grincheux. Cette fois, nous serons là.

— Les esprits ne peuvent vous atteindre quand vous avez de la compagnie, la rassura Joyeux d'un air entendu.

Les autres acquiescèrent.

Elle ignorait si c'était vrai, mais ces paroles lui redonnèrent du baume au cœur. Elle soupira longuement. Grincheux n'avait peut-être pas tort en affirmant qu'ils auraient besoin d'une sorte de magie. Elle ne voulait pas envoyer ses sujets au combat sans une quelconque protection. Ils se battaient pour eux, mais aussi pour elle.

— Très bien. Je retournerai dans les Bois Hantés. Et nous trouverons cet arbre.

Le lendemain, les nains disposaient d'un jour de repos. Ils ne perdirent pas une minute pour se mettre en route vers les bois. Ils marchèrent en silence. Même Blanche ne se sentait pas d'humeur à bavarder, ce matin-là. Elle était trop nerveuse. Où son esprit l'emmènerait-il quand ils arriveraient dans cet endroit sinistre ? *Ça suffit !* ordonna-t-elle à ses pensées agitées. Elle se concentra pour calmer son cœur, ses mains. Cette fois, elle ne laisserait pas la peur l'envahir. *Je serai brave.*

Elle sut qu'ils avaient atteint l'orée des Bois Hantés quand elle vit la brume serpenter entre les arbres. Devant eux, le feuillage se parait d'une teinte noire. L'herbe autour des troncs était dénuée de couleur. Un oiseau solitaire poussa un cri, comme s'il les suppliait de ne pas pénétrer dans cet abîme. Mais ils ne l'écoutèrent pas et avancèrent ensemble.

— Méfie-toi de tout. N'écoute que tes pensées, lui conseilla Grincheux, qui sentait l'angoisse monter chez la princesse.

Un corbeau les survola. Toute la compagnie s'immobilisa. Ils avaient aperçu le même volatile à leur fenêtre avant de partir. C'était un mauvais présage. Blanche avait le sentiment qu'un sablier marquait le temps qu'il leur restait avant que la Méchante Reine ne découvre la vérité – et elle sentait que le sable s'écoulait rapidement.

Grincheux leva les yeux vers l'oiseau.

— Méfie-toi également des créatures qui vivent ici.

— C'est compris, dit Blanche en s'avançant entre les arbres.

Le soleil et la chaleur sur sa peau disparurent aussitôt. Dans la forêt, où les ombres régnaient, l'air était froid et le vent soufflait sur sa nuque. Elle s'autorisa un instant pour s'adapter à la faible luminosité. Elle entendit alors les murmures familiers, les mêmes que lors de son précédent passage. Elle refusait d'écouter ce qu'ils disaient et se concentra sur ses pas. Devant, elle reconnut la clairière qu'elle avait traversée pour s'échapper de ce lieu maudit. Elle savait qu'au-delà se trouvaient le lac lugubre, les branches griffues qui avaient déchiré sa robe, puis l'obscurité totale. C'était là que se tenait l'arbre. Elle en était sûre.

— Par là, déclara-t-elle en essayant de garder une voix ferme.

— C'est tout noir, chuchota Timide.

— Et alors ? demanda Atchoum. Tu travailles dans une mine. Tu devrais en avoir l'habitude.

— Mais les esprits…, articula Dormeur, l'air plus apathique encore que le reste du temps.

— Les esprits ? Ce n'est sûrement qu'une rumeur propagée par la reine pour tenir les gens éloignés de l'arbre hurlant, raisonna Prof. Un arbre aussi puissant doit être protégé. Quoi de mieux que des bois supposément hantés pour cela ?

Prof n'avait pas tort. Malgré tout… Blanche tendit la main.

— Il fait vraiment sombre. Ne nous séparons pas.

— Formons une chaîne, suggéra Grincheux, toujours prêt à prendre les choses en main. Venez, mes amis !

— Suivez-moi, dit Blanche en les guidant dans la forêt obscure.

L'air était immobile, à présent. Chaque son, si infime soit-il, semblait magnifié. Le craquement de chaque feuille morte écrasée résonnait dans les ténèbres. Blanche se concentrait pour mieux distinguer les ombres devant elle. Le brouillard s'était épaissi et elle ne voyait presque rien. Chaque tronc ressemblait au précédent, tordu, déformé, les branches tendues comme si elles voulaient attraper les intrus. Elle se rappela que ce n'était que son imagination qui lui jouait des tours.

— Vous le voyez ? demanda Grincheux.

— Pas encore.

Il y avait bien eu un arbre qui semblait hurler, n'est-ce pas ? Elle était sûre de l'avoir vu. À moins qu'elle ne l'ait rêvé, comme tout ce qu'elle avait cru voir dans ces bois ? Les avait-elle emmenés dans cet horrible endroit pour rien ?

Crac ! Tout le monde sursauta en entendant le bruit. Blanche tendit l'oreille. Elle était persuadée de reconnaître le chant d'un oiseau.

— Qu'est-ce que c'était ? s'écria Prof.

— Un fantôme ! s'alarma Dormeur.

Blanche sentit la main de Prof lui échapper. Il y eut des cris, quelques pleurs. La princesse essaya de calmer ses compagnons.

— C'est une chouette !

Elle poursuivit ses efforts pour les rassurer, étonnée d'être elle-même aussi calme, mais elle reconnaissait ce chant. Sa mère et elle avaient aussi étudié les oiseaux nocturnes.

— Il n'y a rien à craindre, ce n'est qu'une…

— *Non !* s'écria Joyeux. Repliez-vous ! Allez !

Blanche se retourna. Elle entendit des cris, des pas précipités foulant les feuilles mortes. Les voix des hommes semblaient lointaines. Que se passait-il ?

— On n'est pas seuls ! gronda Grincheux. Courez, Blanche, courez !

La princesse se figea. Le chasseur avait prononcé ces mêmes mots. Était-il venu finir le travail ? Voulait-il s'en prendre à ses nouveaux compagnons ?

— Faites demi-tour, Blanche ! Courez et ne vous arrêtez pas ! cria Prof.

Non. Elle ne s'enfuirait pas. Elle ne s'enfuirait plus.

— Je ne le laisserai pas vous faire du mal !

Elle courut en direction du bruit, s'enfonçant ainsi dans le brouillard et l'obscurité. Quelques secondes plus tard, elle heurta quelque chose d'imposant et tomba à genoux. Elle tâta la terre autour d'elle pour trouver une arme de fortune. Dès qu'elle sentit une large branche sous ses doigts, elle se releva d'un bond et fendit l'air avec son bâton. Elle toucha un corps.

— Ouch !

C'était une voix d'homme. C'était forcément le chasseur, qui revenait pour elle. Elle ne voulait pas lui faire de mal - il l'avait épargnée -, mais elle devait au moins le neutraliser.

— Pars maintenant et tu auras la vie sauve, chasseur ! annonça-t-elle, tout en sachant que ses paroles sonnaient faux.

— « Chasseur » ? répéta Grincheux, quelque part dans l'obscurité. Mes amis, c'est l'homme qui a essayé de tuer la princesse. Arrêtez-le !

Blanche fit tournoyer encore sa branche et toucha une nouvelle fois son assaillant. Elle l'entendit tousser, puis tomber lourdement au sol.

— Pars et nous ne te ferons pas de mal ! dit-elle encore.

Elle avança de quelques pas, mais sentit ses pieds se dérober sur le lit de feuilles. Elle heurta violemment le sol et roula jusqu'à se retrouver contre son agresseur. Elle resserra sa main autour de la branche et s'apprêtait à frapper de nouveau quand un rayon de lumière perça la voûte noire des arbres.

— Arrêtez, je vous en prie ! cria l'homme. Je ne suis pas un chasseur !

— Blanche ! s'écria Joyeux en arrivant à sa hauteur. Vous allez bien ?

— Ligotez le chasseur, ordonna Grincheux. Laissons-le moisir dans ces bois.

— Attendez ! fit Blanche, entourée par les nains.

— Attendez ! répéta l'homme. (Mais sa voix était différente, maintenant que la menace semblait passée.) S'il vous plaît. J'ignore de qui vous parlez. Je ne vous veux aucun mal, je me suis perdu dans la forêt. Cet endroit est si étrange. Je ne suis plus moi-même, mais le temps presse…

Il toussa fortement, puis reprit à demi-mot :

— Je cherche quelqu'un. Je vous en prie, aidez-moi.

Cette voix. Elle lui était familière. Elle était chaleureuse. Où l'avait-elle entendue ? Curieuse, Blanche se pencha avant que ses compagnons ne l'en empêchent. Elle souleva le chapeau de l'homme. Et le laissa tomber sous le coup de la surprise.

— Henri ?

Il voulut se rasseoir rapidement, mais tomba en arrière. Il porta sa main à sa tête et cligna des yeux, ébahi.

— Blanche-Neige ?

— Vous le connaissez ? demanda Grincheux, un long bâton brandi devant lui.

— Oui ! se réjouit Blanche.

Elle peinait à croire que c'était bien le prince, et qu'elle le retrouvait dans ce lieu mystérieux.

— Que faites-vous ici ?

Il tenait à peine debout et Blanche l'aida à se relever. C'était étrange de tenir ainsi le bras d'un homme.

— Je vous cherchais, Votre Altesse.

— Moi ? Mais pourquoi donc ?

— J'étais en mission urgente pour me rendre à votre château et m'entretenir avec vous. J'ai pris un raccourci, mais mon cheval a eu peur dans l'obscurité de la forêt, expliqua Henri. J'ai été désorienté et je n'ai pas réussi à retrouver le chemin.

— La belle affaire, grommela Grincheux.

— Urgente ? S'agit-il de la reine ? A-t-elle annoncé au royaume que j'étais morte ?

— Vous ? Morte ? (Les yeux bleus d'Henri trahissaient une surprise infinie.) Vous voulez parler de *lui*, sans doute. Nous pensions qu'elle ne se méfiait pas de lui, mais il se pourrait que…

Ce qu'il disait n'avait aucun sens. Blanche tendit la main pour toucher la tête d'Henri, puis la retira aussitôt. Tout le monde l'observait. Elle rougit.

— Vous êtes-vous cogné la tête, Henri ? De quoi parlez-vous donc ?

Le prince lui prit la main.

— Blanche, j'ai trouvé votre père.

Ingrid

Dix ans plus tôt.

Dès l'instant où ses doigts se posèrent sur la glace, elle sentit l'énergie quitter son corps. Sa main se réchauffa, puis la sensation remonta le long de ses bras, dans ses épaules et gagna tout son corps.

Elle ne regardait pas le miroir pendant ces changements. Pour une raison qu'elle ignorait, elle gardait toujours les yeux fermés et se laissait bercer par le faible ronronnement de l'objet. Ce son évoquait en elle le tonnerre qui résonnait dans les collines par-delà les murs du château.

Elle n'avait pas le choix. La dernière fois qu'elle avait donné son énergie vitale au miroir – la « lymphe », comme il l'appelait –, elle avait juré de ne plus jamais le refaire. Le rite l'affaiblissait et la rendait de plus en plus malade. Elle restait parfois alitée pendant des jours, les rideaux tirés, la tête enfouie sous les oreillers pour se protéger du bruit. Même le tintement d'un dé à coudre qui tombait était aussi assourdissant qu'un tremblement de terre. Le plus petit rai de lumière était aussi éblouissant que le soleil. Chaque os de son corps semblait se briser au moindre mouvement, et une migraine insoutenable pulsait dans son crâne. Il lui fallait des jours avant de pouvoir se rasseoir, ou même avaler de la mie de pain.

Mais lorsqu'elle retrouvait enfin ses forces, elle sentait un sang nouveau couler dans ses veines. Le miroir avait raison : elle était plus puissante, plus intelligente et plus belle qu'auparavant.

Ses servantes s'émerveillaient quand la jeune femme sortait de ses appartements, la peau si pure et parfaite qu'elle semblait avoir rajeuni. « Une bonne nuit de sommeil fait des miracles sur vous, dame Ingrid ! » disaient-elles.

Ingrid ne répondait rien et continuait de marcher, mais elle se délectait des murmures.

— Elle a l'air encore plus jeune que la reine ! avait dit une femme un jour. Comment est-ce possible ?

— Sorcellerie ! avait fini par suggérer une autre.

Qu'elles parlent. Elles étaient simplement jalouses. Comment auraient-elles pu faire autrement ? Elle était plus belle qu'elles ne l'avaient jamais été. Les cals formés par des années de labeur dans les champs et dans l'échoppe avaient disparu. Sa peau était laiteuse et rayonnante, et non plus creusée par le vent et le soleil. Ses cheveux ressemblaient à de la soie filée. Et elle ressentait une telle force – pas seulement physique, mentale aussi – qu'elle se croyait invincible. Le miroir avait peut-être bien raison : le rituel était cauchemardesque, mais il en valait la peine.

C'était du moins ce qu'elle se dit lorsqu'elle s'offrit de nouveau au miroir. Elle n'avait pas prévu de se soumettre encore aussi tôt, mais Katherine était devenue insupportable. Elle passait tout son temps libre avec Blanche-Neige. La petite n'était plus un bébé, elle n'avait pas besoin d'autant d'attention, pourtant Katherine semblait encore préférer sa compagnie à celle de sa sœur.

— Viens avec nous, disait toujours Katherine quand Ingrid se plaignait de ne pas passer assez de temps avec elle. Joue avec ta nièce !

Mais Ingrid n'avait pas le temps de jouer. Elle voulait transformer le royaume et son organisation. Elle voulait que Georg soit plus ferme, qu'il arrête de se laisser marcher sur les pieds par ses voisins. Katherine, elle, avait d'autres préoccupations. Elle était la reine du peuple. Elle écoutait les doléances et veillait à ce que les conditions de culture restent idéales dans tout le royaume. Son adolescence dans les champs la poussait à s'occuper davantage du commerce agricole que de ce qui était réellement important aux yeux d'Ingrid, à commencer par les mines. Il y avait tellement de richesses à exploiter, si seulement Katherine acceptait de faire creuser plus de tunnels pour accroître la production de diamants. Mais non, Katherine déléguait les décisions relatives aux mines à son bon roi. Or, lui aussi se souciait plus de la santé des mineurs que des pierres précieuses. C'était un souverain faible.

Si Katherine n'entendait pas raison au sujet des mines, Ingrid trouverait un autre moyen de convaincre Georg. « *Tu dois sévir, mais tout a un prix. Offre-moi ta lymphe de vie* », lui avait susurré le miroir.

Ainsi, elle avait posé ses doigts sur la glace.

Ingrid avait appris que si elle récitait des incantations pendant le rite de la lymphe, celui-ci lui semblait passer plus vite. Mais ce faisant, elle n'avait pas entendu la porte de sa chambre s'ouvrir et Katherine l'appeler. Ce ne fut que lorsque les portes de sa garde-robe s'ouvrirent en grand, laissant pénétrer une lumière aveuglante, qu'Ingrid se rendit compte qu'elle n'était plus seule.

— Ingrid ?

Katherine avait l'air d'une fillette apeurée. Ses épaules étaient voûtées, sa bouche délicate entrouverte par la surprise.

— Que… Qu'est-ce que tu fais ? bégaya-t-elle.

Katherine détailla le reflet de sa sœur. Elle vit une lumière sortir du miroir et traverser le corps d'Ingrid comme un éclair. Horrifiée, elle voulut s'enfuir.

— Attends ! cria Ingrid.

— *Laisse-la partir, nous devons continuer*, lui dit le miroir. *Si tu t'éloignes maintenant, tu seras condamnée.*

— Attends ! répéta Ingrid plus fort.

Elle se sentait comme prisonnière de son propre corps. Elle entendit Katherine gémir dans la pièce adjacente. Les gardes allaient surgir d'une seconde à l'autre, son secret serait révélé. Ils ne devaient rien savoir du miroir et de ses pouvoirs. Si le monde savait de quoi il était capable, on essayerait sûrement de le lui voler.

Devait-elle rester immobile jusqu'à la fin du rite ou bien rejoindre sa sœur ? Elle n'avait jamais vu Katherine si bouleversée. Elle se sentait tiraillée.

— *Ingrid, écoute ce que je dis. Ne t'en va pas, reste ici, reste ici…*

Elle ne pouvait plus l'écouter. Elle devait rejoindre Katherine. Elle détacha sa main du miroir et sentit la lumière la brûler. Dans son état affaibli, elle était incapable de courir, mais lorsqu'elle arriva enfin auprès de sa sœur, elle la trouva repliée sur elle-même, en train de sangloter comme elle ne l'avait plus fait depuis qu'elle était enfant.

— Katherine…

La reine se tourna, le visage déformé par la colère.

— Tu es une sorcière !

Ingrid chancela. Elle tenait à peine debout.

— Non…

Sa voix n'était qu'un murmure inaudible. *Dormir.* C'était tout ce qu'elle voulait faire. Katherine, elle, était inconsolable.

— Si ! Comment peux-tu prétendre le contraire ? Georg m'avait prévenue. Il m'a dit qu'il avait entendu des rumeurs sur ce que tu faisais dans ta chambre, mais je ne voulais pas le croire. Je lui ai dit que tu avais quitté ce monde quand tu as accepté d'être ma demoiselle de compagnie. J'ai juré que tu ne pratiquerais jamais la magie noire, pas sous le même toit que ta nièce !

— Ce n'est pas de la magie noire, se défendit Ingrid d'une voix plus faible qu'à l'accoutumée, ce qu'elle détestait par-dessus tout. C'est une science à laquelle je m'essaye durant mon temps libre. Et Dieu sait que je n'en manque pas. Tu n'as jamais besoin de moi pour les sujets les plus importants.

— Menteuse !

Katherine avait le visage mouillé par les larmes. Ingrid ne l'avait jamais vue aussi enragée.

— Tu ne t'y essayes pas, c'est ton art. J'ai entendu dire que tu pratiquais des rituels, que tu accomplissais de noirs desseins, que tu manipulais les esprits… Mais je refusais de le croire.

Ingrid leva les yeux au ciel.

— Manipuler les esprits ? Allons, Katherine…

— Georg avait raison. La magie noire a empoisonné ton cœur. Ce que tu faisais, là-bas avec le miroir, ces incantations, ces éclairs froids, cette brume noire… ce n'est pas naturel. C'est maléfique.

— Tu exagères. Ce que je fais pendant mon temps libre ne regarde que moi. Tu n'en as jamais subi les conséquences.

Tu as une vie parfaite, une famille parfaite. De quel droit te permets-tu de juger ce que je peux ou ne peux pas faire ?

— Tes choix pourraient nuire à Blanche ! Je ne veux pas de ce miroir près d'elle. Il faut qu'il disparaisse, il assombrit ton cœur !

— Ce miroir est à moi ! aboya Ingrid.

Elle avait le goût du sang dans la bouche. Elle s'était mordu la langue. Des gouttelettes perlèrent sur son menton. Katherine recula.

— Tu n'as pas le droit d'y toucher, encore moins de me l'enlever !

Sa voix était plus forte, plus venimeuse, maintenant. Son maître aussi avait essayé de lui prendre le miroir, et cela lui avait coûté la vie. Il gisait maintenant six pieds sous terre.

— Tu m'as tout pris, Katherine. Tu n'es pas la seule à mériter l'amour.

— L'amour ? Mais, Ingrid, c'est un *miroir*. Il ne peut pas t'aimer !

Ingrid sentit sa poitrine se lever et retomber rapidement. Elle n'avait pas à se justifier.

— Tu n'as pas d'ordres à me donner !

Katherine redressa les épaules. Son visage se durcit.

— À vrai dire, je suis ta reine. Et si je dis que le miroir doit disparaître, il disparaîtra. C'est lui ou toi.

— Tu me menaces ?

Ingrid était incrédule. Comment sa sœur osait-elle se comporter ainsi ? Ingrid l'avait élevée. Elle s'était occupée d'elle comme l'aurait fait une mère. Elle lui avait tout donné et n'avait rien reçu en retour. Pourtant, Katherine aimait sa nouvelle famille plus qu'elle n'avait jamais aimé sa grande sœur. Cela ne changerait jamais. Et maintenant qu'Ingrid avait elle aussi noué un lien vital et profond – le miroir avait besoin d'elle comme personne d'autre avant lui –, sa sœur voulait le lui arracher ?

Katherine se tenait à la porte. Elle hésita un instant.

— C'est pour ton propre bien. Je dois en parler à Georg. Je suis désolée.

Elle ferma la porte, et Ingrid s'effondra au sol.

— *Tu n'as pas voulu le voir, tu as échoué. Je t'avais prévenue, tu aurais pu l'éviter.*

Ingrid ferma les yeux. Elle percevait la douleur s'insinuer derrière ses paupières. La migraine s'intensifiait. Même si le rituel avait été interrompu, elle se sentait faible. Elle était incapable de lui répondre.

— *Tu sais ce qui peut être perdu. Le temps passe ; quelle vie sauveras-tu ?*

Quelle vie ? Ingrid redoutait de voir la vérité en face. Une larme glissa sur sa joue en songeant à ce que le miroir laissait entendre. Pour qu'il survive, Katherine devait mourir. Ingrid avait longtemps refusé cette idée, mais le miroir avait vu juste, une fois de plus. Qu'est-ce que Katherine lui avait donné ? Un titre mineur ? Ingrid avait tout fait pour repousser la prophétie du miroir, mais elle n'avait plus le choix. Si Katherine menaçait de révéler tous ses secrets, elle devait agir. C'était toujours elle qui avait pris les décisions les plus difficiles de leur vie. Elle les avait sorties des griffes de leur père. Elle avait trouvé un refuge à la ferme. Elle avait élevé Katherine, et voilà que sa sœur voulait la priver de la seule chose qui comptait pour elle. Katherine avait tout, tandis qu'Ingrid avait dû se battre pour obtenir le peu qu'elle possédait. Pourquoi sa petite sœur jouissait-elle de la vie qui aurait dû revenir à son aînée ?

— *Fais ton choix, si tu veux être reine. Ne tarde pas, élimine celle qui te gêne.*

— Oui, murmura Ingrid.

Un plan se dessinait déjà dans son esprit. Katherine devait disparaître, et elle savait exactement comment elle devrait s'y prendre. Peut-être que cette idée avait toujours été là, dans un coin de sa tête. Dès qu'elle eut accepté le destin de sa sœur, la douleur sembla s'atténuer. Elle dressa mentalement la liste de tous les ingrédients dont elle aurait besoin. Si Ingrid avait ressenti de la culpabilité et de la tristesse auparavant, elle n'était désormais plus que hargne. Katherine allait enfin avoir ce qu'elle méritait.

Il ne pouvait y avoir qu'une seule reine dans ce château, et sa sœur n'était pas destinée à porter la couronne.

Un sourire malsain étira les lèvres d'Ingrid. Vive la reine.

Blanche

— Vous avez trouvé mon père ?

— Oui, affirma Henri, le regard braqué sur la princesse.

Blanche était paralysée. Elle avait l'impression que la terre allait s'ouvrir sous ses pieds et qu'elle allait être dévorée par l'obscurité. Ces dernières semaines, elle s'était persuadée que sa tante avait assassiné son père. Il lui paraissait impossible qu'il soit là, quelque part, en vie.

— *Mon* père ? En êtes-vous sûr ?

Henri acquiesça.

— Sûr et certain. Il m'a parlé de vous et de votre mère, de la volière qu'elle a fait construire, de tous les oiseaux. Il m'a parlé du puits et des jardins, raconta-t-il, ses yeux bleus pétillant. Il connaissait le château et ses environs sur le bout des doigts. Je suis convaincu que c'est bien lui ! Le roi Georg est en vie. Et vous lui manquez plus que tout au monde.

Les nains s'étaient approchés pour écouter. En entendant « le roi Georg », ils se mirent tous à parler en même temps.

— Il est en vie ?

— On aurait dû savoir qu'il ne nous abandonnerait pas !

— Où est-il ? Est-ce qu'il revient ?

Blanche, pour sa part, se montrait beaucoup plus réservée. Elle était encore sous le choc et submergée par les questions.

— Si je lui manque tant, pourquoi m'a-t-il laissée avec la Méchante Reine ?

Tous les nains se turent.

— Pourquoi a-t-il abandonné son royaume ? Comment a-t-il pu faire une chose pareille à son peuple ?

Sa voix tremblait. Henri lui prit la main et l'attira à lui. Leurs visages se frôlaient. Elle inspira.

— Il n'a pas choisi de vous quitter, ni vous ni son peuple. Il n'a pas eu le choix.

— Alors que s'est-il passé ? demanda Blanche.

Henri baissa les yeux. La princesse en fut soulagée : le regard du jeune homme était presque trop intense pour elle.

— Je n'aurais pas dû vous annoncer la nouvelle ainsi. J'ai beaucoup de choses à vous expliquer, mais pas ici.

Il scruta la forêt menaçante d'un œil affûté, qu'il n'avait pas lors de leur première rencontre.

— Nous ne pouvons pas partir avant d'avoir trouvé l'arbre hurlant, l'interrompit Atchoum.

Blanche et Henri s'éloignèrent l'un de l'autre.

— L'arbre hurlant ? hésita Henri.

— Des hommes ont entendu parler d'un arbre dont la sève pourrait servir à concocter un élixir permettant de changer d'apparence, expliqua Blanche. Si nous le trouvons, nous réussirons à nous approcher de la Méchante Reine sans qu'elle s'en rende compte. C'est peut-être notre seule chance de la renverser.

Henri écarquilla les yeux.

— Vous voulez vous opposer à la reine ?

— Avec notre aide, déclara Prof sous les hochements de tête de ses compagnons. C'est pour cela que nous devons trouver l'arbre.

— Vous voulez parler de celui-là ? demanda Henri en avançant de quelques pas vers un tronc qui semblait vraiment avoir un visage.

De près, Blanche vit que les yeux déformés et la gueule béante n'étaient rien de plus que des creux dans le bois, dont les branches paraissaient dessiner des griffes.

Elle ferma les yeux et se revit courir devant l'arbre, croyant que celui-ci essayait de l'attraper.

— Oui, c'est bien l'arbre que j'ai vu.

Joyeux et Prof l'examinèrent. Ils approchèrent leurs lanternes pour examiner les cavités. Grincheux sortit un petit couteau de poche pour essayer de creuser l'écorce.

— Il est mort, déclara-t-il. Il n'y a pas de sève là-dedans.

Le cœur de Blanche se serra. Elle avait fondé tellement d'espoirs sur cet arbre.

— Alors, c'est fini ? s'inquiéta Dormeur.

— Oui, répondit Blanche. Ce n'était qu'une simple rumeur. Ce n'est pas d'ici que la reine tire ses pouvoirs.

Un grondement sourd et menaçant venu du fin fond de la forêt se fit entendre. Henri prit le bras de Blanche.

— Il faut partir.

— Oui. Venez avec nous à la chaumière, suggéra Blanche, ce qui arracha un soupir d'exaspération à Grincheux. Nous avons beaucoup de choses à nous dire, et vous devez être épuisé. Où dites-vous avoir trouvé mon père ?

— À la frontière de mon royaume. À une journée d'ici.

— Comment ? Mais c'est injuste !

Les cheveux de Blanche se hérissèrent sur sa nuque. Son père avait été si près pendant tout ce temps ? Pourquoi n'avait-il pas essayé de la revoir ?

Henri vit que la princesse était troublée. Il lui reprit la main. Sa peau était rêche, mais chaude. Blanche se détendit imperceptiblement. Elle ne connaissait presque rien du garçon qui se tenait devant elle.

— Je vous promets que vous comprendrez tout quand je vous aurai dit ce que je sais.

Ils se regardèrent un long moment dans les yeux, tandis que les nains les observaient dans un silence religieux. Au loin, un corbeau croassa.

— Très bien, dit finalement Blanche.

— Bon, on rentre dîner à la maison ou on installe le camp ? pressa Grincheux.

Blanche soupira. Elle se rendit compte à cet instant qu'elle se sentait effectivement chez elle dans la chaumière des nains, plus qu'elle ne l'avait jamais été au château.

— Oui, bien sûr. Tu as raison. Rentrons.

Il leur fallut toutefois plusieurs heures pour regagner leurs pénates. Lorsqu'ils arrivèrent enfin à la chaumière, le soleil avait déjà presque disparu. Pendant qu'Henri se rafraîchissait, Blanche et les petits hommes se dirigèrent vers la cuisine pour préparer le repas. Bientôt, une belle flambée illuminait l'âtre, et tous les habitants exécutaient leurs tâches sous l'œil admiratif d'Henri, qui appréciait la chaleur de la maisonnette. Il s'approcha alors de Blanche, prit un couteau et se mit à trancher les oignons avec elle. Ses cheveux humides étaient dégagés de son front. Il avait revêtu une chemise de lin beige lacée à moitié seulement, ce qui laissait entrevoir son torse puissant. Blanche rougit. Elle épluchait et coupait les carottes pendant que lui hachait le persil et tranchait les panais. Ils cuisinèrent ainsi en silence jusqu'à ce qu'ils n'aient rien d'autre à faire qu'attendre que le plat mijote.

Blanche s'installa sur une chaise avec une tasse de thé entre les mains. Elle était impatiente d'entendre l'histoire d'Henri. Elle pensait ne jamais le revoir, et pourtant le prince était là, devant elle. Il l'avait cherchée. Que lui serait-il arrivé s'il avait suivi la route habituelle pour aller au château ? La Méchante Reine l'aurait-elle condamné à mort ? Cette rencontre fortuite dans les Bois Hantés ne pouvait pas être qu'une coïncidence. Si elle avait cru en ce genre de choses, elle aurait dit que c'était le destin. Son destin était-il aussi de perdre ses parents et d'être élevée par une tante incapable d'aimer ? Elle l'ignorait, mais son cœur lui disait qu'elle pouvait se fier à Henri. Elle se demanda s'il éprouvait cette connexion, lui aussi.

— Henri, je vous en prie, dites-moi comment vous avez trouvé mon père.

Tous les regards se tournèrent vers le prince.

— Et vous feriez mieux de dire la vérité, précisa Grincheux.

— On ne ment pas à la princesse ! ajouta Prof, suivi des autres hommes assis sur des chaises, un banc ou au sol.

Henri prit une profonde inspiration. Ses yeux bleus se posèrent tour à tour sur ses interlocuteurs.

— Je n'ai aucune raison de mentir. Je ne cherchais pas le père de Blanche. J'ignorais même que le roi Georg avait disparu.

— Il n'a pas disparu, il a abandonné son royaume et sa fille ! corrigea Atchoum.

Henri acquiesça. Il baissa la tête.

— Blanche, après notre rencontre près de la volière, j'ai essayé d'obtenir une audience avec votre tante la reine Ingrid, mais sans rendez-vous, elle n'a rien voulu entendre. On m'a également dit qu'elle accordait très peu d'entrevues et qu'il me faudrait attendre plusieurs mois avant d'avoir le privilège de la rencontrer. Et même ainsi, il n'y avait rien de sûr. J'ai décidé de repartir. C'était un échec, j'avais le sentiment de laisser tomber mes sujets, expliqua-t-il en levant les yeux vers Blanche. J'étais désemparé, je ne savais pas ce que j'allais pouvoir leur dire. C'est peut-être pour cette raison que je suis rentré le plus vite possible, chevauchant nuit et jour sans me soucier du temps. Et pourtant, il a plu sans discontinuer. J'étais trempé jusqu'à la moelle. Pas surprenant que je sois tombé malade, dit-il avec un sourire amer. Si malade que j'ai basculé dans un lac. J'ai bien failli ne jamais en sortir.

Blanche se pencha en avant.

— Que s'est-il passé ?

— Il pleuvait si fort que je n'avais pas vu la falaise. Mon cheval, si. Il s'est arrêté brusquement et j'ai été projeté par-dessus sa tête. Il s'est enfui, et heureusement, parce que c'est comme cela que Georg m'a trouvé. Il a aperçu un cheval sellé et en a déduit que le cavalier ne devait pas être loin, alors il est parti à ma recherche.

— C'est fort courageux de sa part, l'interrompit Atchoum en observant Blanche, qui ne dit rien.

— En effet. Le courant était puissant, et je luttais de mes dernières forces pour regagner la rive. Épuisé, je me suis accroché à un rondin de bois. J'étais sur le point d'abandonner quand Georg est arrivé et m'a tiré au sec.

— Vous avez probablement attrapé un bon rhume, voire une pneumonie, dans cette eau glaciale, supposa Prof. Le ciel n'a pas épargné le royaume, ces derniers temps.

— J'aurais aimé le savoir avant de prendre la route, déplora Henri, le visage grave. Georg m'a dit que j'avais eu une terrible poussée de fièvre. J'ai dormi pendant plusieurs jours. S'il ne m'avait pas ramené chez lui et soigné, je n'aurais pas survécu. J'en ai l'intime conviction.

La chaumière était silencieuse. L'histoire d'Henri évoqua un souvenir de jeunesse à Blanche. Un oiseau était tombé dans la volière et s'était abîmé une aile. La petite princesse en pleurs avait interrompu un entretien entre le roi et sa cour. Son père avait tout arrêté pour l'écouter. Puis il l'avait aidée à fabriquer un nid dans la volière pour voir si l'oisillon guérissait. Un matin, alors qu'ils venaient le voir, l'oiseau avait disparu. « Nous avons fait tout notre possible pour qu'il puisse prendre son envol », lui avait-il dit. Avait-il fait la même chose pour elle ? La pensait-il suffisamment forte pour qu'elle s'en sorte seule ?

— Je n'avais pas l'intention de m'attarder, mais je n'avais pas encore repris mes esprits et le temps restait menaçant, alors Georg m'a hébergé. Quand j'ai été complètement rétabli, nous avons pu discuter un peu plus. C'est là que je lui ai parlé de mon voyage vers votre château. En apprenant ça, j'ai perçu un changement chez votre père. Il a semblé profondément ébranlé et indigné, comme un homme rongé de l'intérieur. Il s'est mis à faire les cent pas. Il refusait de me dire ce qui le troublait ainsi, mais voulait en savoir plus sur ma visite. Je lui ai parlé du refus de la reine et…

Henri hésita. Son visage se colora légèrement.

— Et je lui ai parlé de la belle jeune femme que j'avais rencontrée dans les jardins du château.

— Vraiment ? demanda Blanche, sans trop comprendre pourquoi elle se réjouissait de savoir qu'il avait parlé d'elle.

— Oui, répondit-il avec un sourire gêné.

— Oh, bon sang ! grommela Grincheux.

— Quand j'ai mentionné votre nom, il a commencé à me poser mille questions sur la princesse et sa relation avec la reine. Je lui ai dit que je ne savais rien à ce sujet. Il m'a ensuite demandé si la princesse semblait heureuse.

— Qu'avez-vous répondu ?

Henri hésita.

— J'ai dit que vous étiez resplendissante, mais que vous paraissiez triste.

— Vous n'aviez pas tort.

Blanche était démoralisée, au château, mais une fois encore, elle avait fait de son mieux pour profiter de sa vie et ne pas se laisser consumer par la tristesse. Elle avait essayé de trouver du bonheur même dans les tâches les plus ingrates, en lustrant les armures avant l'arrivée de visiteurs ou en donnant des graines aux oiseaux.

— Mais j'essaye d'être heureuse aussi.

— Il serait ravi de le savoir, sourit Henri. Après lui avoir tout raconté, j'ai pris congé et je suis allé dormir. Je voulais comprendre pourquoi il avait réagi ainsi en entendant parler de la princesse, donc je lui en ai reparlé le lendemain, mais sa réponse était toujours la même : « Moins vous en saurez à mon sujet, mieux cela vaudra pour votre sécurité. » Cela faisait si longtemps qu'il n'avait pas parlé de son royaume qu'il commençait à croire que sa vie passée n'était qu'un rêve.

Henri marqua une pause. Le silence de la chaumière était uniquement brisé par le léger crépitement des flammes qui léchaient la marmite.

— Blanche, votre père n'a jamais voulu vous quitter, ni vous ni votre peuple. Il est parti parce qu'il a été banni par la reine Ingrid.

— Comment ? s'indigna Blanche en se levant d'un bond.

— Un jour, elle l'a convaincu de sortir du château. Il dit ne pas se souvenir de comment ni de pourquoi. Il ne s'explique même pas comment il a pu accepter de l'épouser.

— Par magie.

Blanche commençait seulement à comprendre l'étendue des pouvoirs de sa tante. Elle ferma les yeux, soulagée. Le mariage du roi avec sa belle-sœur n'avait jamais eu aucun sens à ses yeux.

— Tout ce qu'il sait, c'est qu'il n'a jamais pu revenir vers vous. Chaque fois qu'il a cherché à retraverser les frontières du royaume, une étrange force l'en a empêché. Il a tout essayé pour la contourner, il a tenté de rentrer par différentes régions, mais chaque fois, le même phénomène se s'est produit : il était comme foudroyé par un éclair si puissant que son cœur manquait de s'arrêter.

— De la magie… De la magie… *atchoum !* noire, précisa Atchoum.

Les autres acquiescèrent en chœur.

— Il n'a jamais abandonné l'idée de vous retrouver. Il détestait vous savoir à la portée d'une femme si méprisable. Il a imploré et supplié, espérant qu'Ingrid l'entendrait. Il a prié qu'elle ait pitié de vous et qu'elle vous laisse partir en échange du trône. Mais si la reine l'a entendu, elle n'a rien fait. Après bien des années, il a fini par baisser les bras. Il se croyait condamné à vivre dans sa prison intérieure jusqu'à la fin de ses jours.

Certains des nains pleuraient. Tous avaient ôté leur bonnet.

— Je savais que le roi Georg ne nous aurait jamais abandonnés de son plein gré, renifla Timide.

Les larmes perlaient sur les joues de Blanche. Son père ne l'avait donc pas oubliée. La Méchante Reine les avait séparés, enfermés dans leurs calvaires personnels. Et pendant ce temps, elle avait joui d'une vie d'opulence et de privilèges sur son trône. Si elle avait pu tuer sa propre sœur, était-il inimaginable qu'elle bannisse le roi ?

— Je dois le voir, annonça Blanche. S'il ne peut venir à moi, j'irai à lui.

— J'espérais que vous diriez cela, sourit Henri. Je vous conduirai jusqu'à chez lui. Je connais le chemin.

— Nous partons demain à l'aube, déclara la princesse.

Ingrid

Enfin. Elle possédait enfin tout ce que son cœur désirait.

En observant l'organe sanglant dans l'écrin de bois entre ses mains, elle ne pouvait s'empêcher de penser que le miroir ne s'était jamais trompé. Le cœur ne battait plus, ce qui signifiait qu'elle était non seulement reine, mais que rien ni personne ne pourrait menacer son règne. En prime, elle était la plus belle du royaume. Elle était toute-puissante. *Enfin.*

Le miroir savait probablement déjà ce qu'elle tenait entre les mains. Leur lien était maintenant si fort qu'elle pouvait entendre ses pensées, même sans être à côté de lui. Et le miroir, à son tour, lisait dans son cœur sans qu'elle ait besoin de parler. Après toutes ces années, leur âme ne faisait plus qu'une, comme le miroir l'avait prédit il y a si longtemps.

Comme son maître l'avait redouté.

Mais elle n'avait rien à craindre du miroir. Il existait pour son bien.

Qui plus est, cela n'avait plus aucune importance si elle s'était fait un sang d'encre pendant une semaine en attendant d'avoir des nouvelles du chasseur. Elle était bien consciente qu'il lui faudrait plusieurs jours pour se débarrasser du corps de l'enfant. Et pendant ce temps, elle avait eu tout le loisir de réfléchir à comment justifier l'absence de la princesse. Demander à cette idiote sentimentale de préparer Blanche pour son excursion avait été un coup de maître ; Ingrid était passée pour une tante attentionnée. Le soir venu, elle avait fait mander Mila et s'était enquise de la journée de sa nièce. Elle avait parfaitement joué son rôle en se cachant derrière un masque d'inquiétude quand la servante lui avait annoncé que le chasseur et la princesse n'étaient pas rentrés. Elle avait même fait croire qu'elle enverrait Brutus à leur recherche. Elle avait aussi demandé à toute sa cour ainsi qu'aux domestiques de garder le silence sur cette disparition jusqu'à ce qu'ils découvrent ce qu'il était advenu de la pauvre princesse.

Maintenant que Brutus lui avait rapporté le présent du chasseur, elle essayait de choisir la meilleure histoire à raconter au peuple : la fille était-elle morte, ou bien avait-elle abandonné son peuple comme son père l'avait fait avant elle ?

— Autre chose, ma reine ? lui demanda Brutus.

— Non.

Elle essayait de garder une voix ferme, sans trace d'excitation. Elle serrait le petit écrin entre ses mains. Elle avait hâte de retourner devant le miroir et de lui montrer le fruit de son labeur.

— Garde le chasseur à l'œil le temps que je décide de son sort.

— Oui, ma reine.

Ingrid traversa rapidement les couloirs depuis la salle du trône jusqu'à ses quartiers. Elle ne regarda aucun des serviteurs qu'elle croisa. Ces imbéciles ne risquaient pas de l'arrêter pour lui parler, quoi qu'il arrive. Ils savaient que, lorsqu'ils croisaient sa route, ils devaient s'incliner et retourner aussitôt à leurs corvées. Elle ferma la porte de ses appartements derrière elle et se dirigea droit vers la salle cachée. Elle monta sur la plate-forme au centre, posa le coffret et leva les bras au ciel pour invoquer l'esclave du miroir. La glace s'embruma, le tonnerre résonna et le masque apparut. Ingrid arborait un sourire carnassier.

— Miroir magique, écoute. Qui est *maintenant* la plus belle de toutes ?

Elle avait tout fait pour entendre une fois de plus ce qu'elle brûlait d'entendre. Elle ne tolérait plus que la beauté d'une autre surpasse la sienne. Elle retint son souffle et écouta attentivement la réponse.

Le masque lui jeta un regard amusé.

— *Au pied des sept collines des joyaux, par-delà la septième cascatelle, dans le logis des sept nains demeure Blanche-Neige. C'est elle, la plus belle.*

La reine écarquilla les yeux. Comment le miroir osait-il se moquer d'elle ? Elle essaya de retrouver son calme. Elle ramassa lentement la boîte et la tint devant le miroir.

— Blanche-Neige ? Son corps gît dans la forêt. Le chasseur m'en a fourni cette preuve. Tiens, regarde, fit-elle en ouvrant l'écrin. Son cœur !

— *Blanche-Neige est en vie, et plus belle que jamais. C'est le cœur d'une biche que tu me soumets.*

Ses mains se mirent à trembler. C'était impossible. Mais le miroir ne mentait jamais...

— Le cœur d'une biche ? Ainsi, il m'a trahie !

La reine s'empressa de sortir de ses appartements et retourna dans la salle du trône. Elle convoqua le chasseur sur-le-champ. Elle lui tendit le coffret.

— Montre-moi son cœur, ordonna-t-elle.

Le chasseur s'avança et ouvrit d'une main mal assurée le loquet. Il présenta à la reine ce qui se trouvait à l'intérieur. Le cœur était gris, sans vie. Ingrid en fut presque satisfaite, mais l'avertissement du miroir la troublait. Était-ce vraiment le cœur d'une biche ? Il n'y avait qu'un moyen de le savoir.

Elle arracha l'écrin des mains du chasseur.

— Menteur ! Ce n'est pas son cœur ! C'est celui d'une biche.

Elle se tourna vers Brutus.

— Enferme-le au cachot et laisse-le croupir là-bas !

Brutus attrapa brusquement l'homme par le col et le tira hors de la salle du trône sous l'œil vigilant d'Ingrid. Le traître clamerait sans doute son innocence.

— Longue vie à l'héritière légitime ! s'écria le chasseur. Longue vie à la future reine !

L'héritière ? La future reine ?

De rage, Ingrid s'arracha des mèches de cheveux sans même sentir la douleur.

— Non… non. *NON !*

Elle poussa un hurlement bestial, si déchirant qu'elle en ressentit les conséquences avant même de les voir.

Car, dans sa chambre secrète, le miroir magique au mur se fêla.

Blanche

Blanche et Henri partirent seuls vers le royaume du prince.

Cette idée ne réjouissait pas les nains. Ils s'étaient habitués à vivre avec la princesse, bien qu'elle ne soit restée que peu de temps, et soutenaient qu'ils avaient beaucoup de préparatifs à faire s'ils voulaient renverser la reine. Seul Grincheux voyait les choses d'un autre œil, et Blanche était de son avis : les hommes devaient poursuivre leur travail à la mine pour remplir leur quota et ils pourraient en profiter pour discuter avec les autres mineurs frustrés par les impôts insupportables de la reine. En l'absence de Blanche, ils pourraient réunir suffisamment d'informations pour savoir quels villages seraient susceptibles de les soutenir. Qui plus est, souligna Grincheux, il était sage d'extraire des diamants pour leur réserve personnelle, en prévision des saisons difficiles qui s'annonçaient. Si le soulèvement ne tournait pas en leur faveur, ils auraient besoin d'une monnaie d'échange pour fuir le royaume. Blanche ne voulait pas envisager cette possibilité. Elle devait réussir, non seulement pour elle, mais aussi pour tout le peuple qui comptait sur elle. Y compris Henri.

— Vous êtes sûr que vous n'êtes pas fatigué ?

Blanche était assise sur le cheval d'Henri, tandis que le prince tenait les rênes en marchant à côté. Ils ne disposaient que d'une monture pour ce voyage, et Henri avait insisté pour que ce soit la princesse en selle. Ils étaient partis depuis plusieurs heures et n'avaient presque pas parlé.

Il y avait des chemins plus rapides que la forêt qu'ils traversaient, mais Blanche tenait à éviter les routes fréquentées. Elle ne pouvait pas prendre le risque d'être reconnue.

— Je peux encore marcher, la rassura Henri. Vous devez vous reposer avant vos retrouvailles.

— Pourquoi des retrouvailles seraient-elles fatigantes ?

Excitantes, oui. Chargées d'émotions, sans doute. Tendues, peut-être. Mais fatigantes ?

Henri ne répondit pas. Elle avait l'impression que le prince ne lui avait pas tout dit, mais elle n'insista pas. Elle voulait entendre le reste de l'histoire de la bouche de son père, si c'était bien lui. Elle espérait qu'il connaîtrait le point faible de la Méchante Reine. Elle comptait même dessus. Après l'échec de leur expédition pour trouver l'élixir, elle s'inquiétait de n'avoir aucune arme contre sa tante.

— Nous voyageons depuis le petit matin, lui rappela Blanche. Vous devez être fourbu.

Il resta silencieux. Elle voulait en savoir plus sur cet inconnu qui avait débarqué dans sa vie du jour au lendemain. Blanche essaya d'imaginer ce que sa mère aurait pensé d'Henri. C'était ce qu'elle faisait quand elle se sentait perdue : elle imaginait une conversation avec sa mère sur tous les sujets qu'elles n'avaient pas eu la chance d'aborder. Elle se voyait toujours assise à côté d'elle dans la volière ou sur un banc du jardin, en train de discuter comme si le temps n'existait plus. Blanche était adulte dans ces visions, mais sa mère était exactement telle qu'elle était quand la vie l'avait quittée. Elles parlaient jusqu'au coucher du soleil. Blanche supposait que sa mère aurait apprécié Henri. « Un homme qui se préoccupe des créatures de cette terre doit forcément avoir le cœur bon », aurait-elle dit. Elle aurait aussi approuvé qu'Henri vienne en aide au vieux roi. Blanche se tourna de nouveau vers lui.

— Êtes-vous certain de ne pas vouloir vous arrêter ?

— Je vais bien, ne vous inquiétez pas, fit Henri avant d'être pris d'une quinte de toux.

Il avait toussé toute la matinée, ce qui laissait penser qu'il n'était pas totalement rétabli de sa maladie. Avait-il surestimé ses forces ?

— J'insiste. Je crois que c'est vous qui avez besoin de vous reposer, déclara Blanche d'une voix ferme. Il y a de la place pour deux.

— Ce n'est pas nécessaire, dit-il en toussant encore.

— Pour moi, ça l'est. En tant que princesse de ce royaume et future reine, je vous ordonne de chevaucher avec moi.

Il la regarda, surpris par son ton impérial. Blanche se radoucit soudain :

— Ça ne me gêne pas, vraiment. Montez.

— Eh bien, princesse, sourit Henri. Si j'ai besoin de me reposer, vous avez besoin de manger. Et je suis bien placé pour savoir que vous n'avez rien avalé depuis notre départ. Prof a insisté pour que vous ne vous présentiez pas le ventre vide devant votre père, et je dois vous avouer que ces petits hommes me font un peu peur. Je ne tiens pas à m'attirer leurs foudres. Ils ont l'air de beaucoup tenir à vous.

— Et c'est réciproque.

Elle voyait parfaitement Grincheux submerger Henri d'instructions pour le voyage. Puis elle sentit son estomac gronder.

— Vous avez raison. Faisons une halte.

Henri lui offrit sa main pour l'aider à mettre pied à terre. Leurs doigts restèrent entremêlés un peu plus longtemps que nécessaire. Blanche tourna la tête.

Elle étala une couverture et sortit les victuailles de la sacoche des nains : des fruits, du pain et du fromage. Ils mangèrent en silence. Henri dévora sa portion.

— Veuillez me pardonner, princesse, dit-il en gobant son dernier morceau de pain. Avant-hier soir, je n'avais rien mangé depuis que j'avais quitté votre père. Et avant cela, j'étais encore trop faible pour manger quoi que ce soit de solide.

— J'ai des pommes, si vous voulez, dit-elle en lui offrant un fruit dont les couleurs allaient du rouge au vert en passant par l'or. Ce sont des Flammes Rouges.

Henri croqua une bouchée.

— Elles sont succulentes ! Comment dites-vous ? Flammes Rouges ? Je n'avais jamais rien goûté de tel.

— Elles ne poussent que dans notre royaume. C'est ma mère qui a créé cette variété, s'enorgueillit Blanche.

Elle demandait souvent à ses parents de lui raconter l'histoire de leur rencontre. Elle voyait sa mère rire. « Blanche, il y a tellement d'autres sujets dont nous pourrions parler ! »

— C'est un croisement de pommes rouges, de pommes vertes et de poires, expliqua Blanche. Ma mère a eu cette idée dans le verger où elle travaillait, quand elle avait à peu près mon âge. Mon père adorait ces pommes et a fait planter des arbres dans toute la campagne.

Blanche se saisit d'une pomme et l'observa.

— Ce sont ces pommes qui ont uni ma mère et mon père.

— C'était l'amour à la première bouchée ? sourit Henri.

— J'imagine ! rit Blanche.

— Ça se comprend. Elles sont délicieuses. Et je ne dis pas ça à la légère, je suis friand de pommes.

— Moi aussi.

Leurs regards se croisèrent un moment.

— Je vais en garder quelques-unes pour mon père. Je suis sûre qu'il sera heureux d'en manger après tout ce temps.

— Alors, partageons la mienne, proposa Henri.

Il tira un petit couteau orné de pierres précieuses de sa ceinture. Il éplucha soigneusement la pomme et arrangea ensuite la longue pelure tel un bouton de rose.

— Pour vous, gente dame.

— C'est magnifique ! s'exclama-t-elle en tenant la fleur au creux de sa main. Où avez-vous appris à faire ça ?

— C'est mon frère, Kristopher, qui me l'a appris, se rembrunit-il. Il aimait les pommes, lui aussi. C'était son couteau.

Il montra la lame en argent attachée à la poignée de cuir. Les initiales de son frère étaient gravées dans le métal.

— Il est mort il y a quelques années sur le champ de bataille. On m'a donné son couteau. C'était le chevalier le plus fidèle de mon père.

— Je suis désolée. Perdre quelqu'un si jeune…

— Ça vous change la vie, conclut Henri.

Ils échangèrent un nouveau regard.

— J'imagine que ma vie est bien différente de celle que mes parents prévoyaient pour moi, mais je n'ai jamais perdu espoir, même quand…

Elle s'interrompit. Elle n'avait révélé la vérité sur la mort de sa mère à personne, pas même aux nains. Tout le royaume croyait que Katherine avait succombé à une grave maladie, mais Blanche savait que son père méritait de connaître la vérité. Ce serait peut-être plus facile de la lui annoncer si elle en parlait d'abord à Henri.

— Je sais aujourd'hui que la Méchante Reine, ma tante, a fait exécuter ma mère.

— Comment ? bondit Henri. Est-ce que le peuple est au courant ? Non, c'est impossible, il n'aurait jamais laissé Ingrid monter sur le trône.

— Personne ne le sait. Le chasseur chargé de me tuer m'a tout avoué. C'est son père qui a assassiné ma mère.

— Mais ce chasseur ne voulait pas commettre les mêmes horreurs que son père, en déduit Henri. Je suis désolé, Blanche. D'après ce que j'en sais, votre mère était très appréciée.

— Oui. Par tout le monde, dit-elle en observant le ciel. Par tout le monde, sauf sa sœur. Et la Méchante Reine paiera pour ce crime.

Henri la regarda avec un drôle d'air.

— Vous semblez différente de la jeune fille que j'ai rencontrée dans les jardins du château.

— Je me sens différente.

— Je n'arrive pas à croire que la reine a voulu vous faire tuer. Je savais qu'elle était dure et impitoyable, mais de là à être une meurtrière… Vous n'avez quand même pas l'intention de la défier seule ?

— Je pense que nous devrons en arriver là, inévitablement. Je parviendrai peut-être à la raisonner. Si je lui dis que je connais toute la vérité, elle se repentira peut-être.

Henri paraissait sceptique.

— Une femme aussi froide et calculatrice ne se repentira jamais.

Blanche étudia encore la fleur de pelure de pomme. Elle vit la beauté dans le rebut.

— Je dois essayer.

— Comment l'arrêterez-vous ?

— Les nains essayent de recruter d'autres sympathisants à la cause, mais c'est difficile. Ils doivent rester discrets, et bon nombre d'ouvriers ont peur de parler. Avec un peu de chance, nous parviendrons à les convaincre que l'union fait la force, soupira la princesse. Comme vous pouvez le voir, nos plans de bataille sont encore flous.

Un corbeau se posa sur une branche près d'eux et croassa, tirant Henri et Blanche de leurs rêveries.

— Nous ne devrions pas nous attarder davantage, déclara Henri, l'air soucieux

Elle aimait tous les oiseaux, mais ce corbeau qui semblait les épier l'intriguait. Était-il un émissaire de la reine ? Et si oui, quelles autres menaces leur réservait-elle encore ? Blanche empaqueta rapidement les affaires tandis qu'Henri offrait la fin de sa pomme et un peu d'eau à leur monture. Quand il eut fini, il reprit les rênes pour marcher à côté.

— Cette fois, nous montons tous les deux, insista-t-elle, bien que l'idée la rendait quelque peu nerveuse.

Henri voulut protester, mais elle leva l'index pour le faire taire. Le prince s'inclina.

— Oui, Votre Altesse. J'admire votre ténacité. Vous me faites penser à mon frère Lorenz, qui reprendra un jour la couronne de mon père. Je ne suis que le sixième de la lignée, donc je ne me suis jamais soucié de savoir à quoi ressemblerait ma vie sur le trône.

Une vie sur le trône... Blanche avait seulement pensé à faire tomber la Méchante Reine et n'avait pas réfléchi à ce qu'il se passerait ensuite. Le trône appartenait à son père, s'il le voulait, et elle ne rechignerait pas à aider son royaume, à réparer les méfaits causés par sa tante. Mais, maintenant, elle ne pouvait s'empêcher de penser à ce qu'elle ferait si elle devait prendre sa place... Quel genre de reine serait-elle ? Quelles idées nouvelles apporterait-elle ? C'était à la fois troublant et grisant d'imaginer le pouvoir qu'elle aurait entre les mains et tout ce qu'elle pourrait accomplir pour son peuple. Elle pourrait restaurer le lustre du royaume comme du temps de ses parents... voire l'améliorer.

— Mais je ne doute pas que vous serez une grande reine un jour, ajouta-t-il, comme s'il lisait ses pensées.

Henri arrêta le cheval. Il tendit les rênes à Blanche et entreprit de monter sur la croupe, derrière la princesse. Ce faisant, il dut passer ses bras autour d'elle.

— Désolé.

— Ça va, insista Blanche.

Elle n'avait jamais été aussi proche d'un jeune homme, qui plus est aussi séduisant. Les gardes du château, même les jeunes, avaient constamment l'air renfrogné. Henri, lui, semblait toujours sourire, qu'il soit inquiet, malade ou simplement poli.

Ils continuèrent leur route en silence, jusqu'à ce que Blanche commence à fredonner un air pour passer le temps. Henri se joignit à elle, et ils chantèrent ainsi pour les oreilles attentives des animaux de la forêt.

Alors que le ciel s'assombrissait, ils arrivèrent près d'un lac qui marquait la frontière entre leurs deux royaumes. Sur la rive opposée, Blanche vit une petite chaumière dont la cheminée soufflait une fine fumée grise. En contournant le plan d'eau, la princesse constata que le logis était plus que modeste, comme s'il avait été bâti à la hâte. Les volets étaient tous fermés, à croire que les habitants s'attendaient à une tempête. Lorsque leur cheval ne fut plus qu'à quelques pas, la porte de la maison s'ouvrit brusquement. Un vieil homme appuyé sur une canne en émergea.

Blanche eut un hoquet de surprise.

Les souvenirs fusèrent dans son esprit. Était-ce bien son père ? Il avait les cheveux blancs, mais elle remarqua un grain de beauté familier sur sa joue gauche. Elle resserra ses doigts sur la crinière du cheval par peur de basculer. Elle désirait ardemment voir cet homme de plus près.

— Henrich ? fit le vieillard, les yeux plissés, une main sur l'encadrement de la porte et l'autre sur sa canne. Est-ce toi ?

— Oui, sire. Je l'ai trouvée !

Henri arrêta le cheval et mit pied à terre. Il tendit la main pour aider Blanche à descendre.

Elle se tenait dans l'ombre d'Henri, qui serrait la main de l'homme. Sa voix lui était étrangère. Elle était creuse et éraillée par le temps. S'il s'agissait bien de son père, elle n'en reconnaissait pas le timbre. Mais après tout, comment aurait-elle pu se souvenir d'une voix qu'elle n'avait pas entendue depuis plus de dix ans ?

— Laisse-moi regarder ma fille.

Henri se décala. Blanche et Georg se tenaient face à face. Aucun d'eux ne bougea. Ils étudièrent chacun les traits de l'autre, comme s'ils se regardaient dans un miroir.

L'homme avait une barbe blanche fournie et des cheveux longs. Il n'avait pas de couronne sur la tête. Pas de sceptre dans la main. Pas de satin sur la peau. Il portait des bottes simples, des vêtements de paysan. Ses doigts étaient sales et dépourvus des bagues et chevalières qu'il arborait au château. Toutefois, lorsqu'elle examina son visage buriné plus attentivement, son cœur fit un bond. Ses yeux bleus intenses s'étaient ternis avec le temps, mais ils ne trompaient pas.

— Père ? balbutia Blanche.

Des larmes silencieuses roulèrent sur les jours de Georg.

— Blanche, ma petite Blanche. C'est vraiment toi !

Il prit le visage de la princesse entre ses mains râpeuses. Blanche fit de même. Elle lui caressa la joue, la barbe.

— C'est bien toi, papa. Tu es vivant ! Tu es vraiment là !

— Oui, ma fleur de neige, je suis là.

Ils s'enlacèrent en passant tous deux du rire aux larmes. Ils se serraient comme deux pêcheurs perdus en mer qui se retrouvent sur la terre ferme. Blanche ne sut pas combien de temps ils restèrent ainsi dans les bras l'un de l'autre, mais Henri finit par les convaincre de rentrer. Elle savait qu'elle devait se méfier des espions de la reine, mais auprès de son père, elle se sentait en sécurité comme jamais elle ne l'avait été. Dans la petite chaumière, un feu brûlait et projetait sa lumière sur les modestes meubles en bois - que son père se targuait d'avoir construits seul. Blanche aurait pu rester entre ces quatre murs avec son père retrouvé pour toujours.

— Je suis désolé, ma fleur de neige. Si désolé, ne cessait de répéter Georg en leur offrant du pain, du vin et des coussins.

Blanche était trop excitée pour dormir. Pendant qu'Henri s'occupait de son cheval, elle s'assit avec son père pour lui poser toutes les questions qui lui traversaient l'esprit, et plus encore. Mais il la devança. À peine s'était-elle installée qu'il prit la parole.

— Je ne t'ai pas abandonnée. Je veux que tu le saches. Je n'aurais jamais abandonné ma fille. J'ai passé ces dix dernières années à essayer de te retrouver, à craindre pour ta vie en te sachant auprès de cette femme, fit-il, le visage rongé par la colère. J'ai été stupide de croire qu'elle pourrait remplacer ta mère, qu'elle pourrait être comme ma Katherine. Mais, maintenant, je sais qu'elle m'a trompé.

Il lâcha Blanche, et son expression redevint résignée. Il semblait brisé.

— Elle m'avait ensorcelé, tout comme elle a jeté un sort qui m'emprisonne ici.

— Quel genre de sort ?

Elle était quelque peu soulagée d'entendre son père confirmer ce qu'elle pensait. Elle n'avait jamais compris comment un homme comme son père avait pu s'enticher de la Méchante Reine, même si elle était encore très jeune, à l'époque. Sa tante n'avait rien en commun avec sa mère.

— Un philtre d'amour, expliqua son père, gêné. Il n'y a pas d'autre explication. Ingrid et moi n'avons jamais été d'accord. C'est uniquement parce que ta mère l'aimait qu'elle est restée au château. Plus je la côtoyais, plus je voyais le fond de son cœur. Elle était assoiffée de pouvoir et dévorée par la jalousie. Elle voulait contrôler tout et tout le monde, à commencer par ta mère. J'en ai parlé à Katherine, mais elle disait que sa sœur avait simplement de la personnalité, qu'il fallait apprendre à la connaître. Elle tenait absolument à ce qu'Ingrid vive au château et soit sa demoiselle de compagnie. Et lorsqu'elle a découvert la vraie nature de sa sœur, il était déjà trop tard.

Il baissa les yeux et fixa le sol.

— Elle est tombée gravement malade peu après.

Blanche croisa le regard d'Henri, qui venait de rentrer, mais ils n'échangèrent pas un mot. Elle devait connaître toute l'histoire avant d'annoncer la douloureuse vérité à son père.

— Si tu étais envoûté, comment es-tu arrivé ici ?

Il lâcha les mains de sa fille et embrassa son petit logis du regard.

— J'ai eu beaucoup de temps pour y réfléchir. Les détails sont flous, évidemment, mais magie ou pas, je crois qu'il y a toujours eu une partie de moi pour s'opposer à Ingrid. Elle a fini par le comprendre et a décidé de se débarrasser de moi. Pourquoi elle m'a laissé la vie sauve, je l'ignore. Tout ce dont je me souviens, c'est que je suis parti pour un voyage diplomatique et que je me suis retrouvé ici. En arrivant, je n'arrivais plus à me rappeler ma mission, et les hommes qui m'avaient accompagné avaient disparu, raconta Georg, la mine déconfite. D'un coup, des souvenirs ont ressurgi – de mon mariage avec Ingrid, de toi. Je ne comprenais plus mes actes. J'ai immédiatement trouvé un cheval pour rentrer au château, mais chaque fois que je voulais franchir la frontière, une force obscure me renvoyait directement dans cette chaumière ! Henri a essayé de me faire entrer en douce, mais en vain. Même tant d'années après !

Il balaya la table d'un geste d'humeur. Sa tasse se fracassa sur le sol.

— J'étais désespéré, je devais te retrouver ! soupira-t-il en observant les débris. Pour survivre, j'ai dû accepter le fait que je ne te reverrai sans doute plus jamais. Au fil du temps, je me suis lié d'amitié avec les habitants des villages voisins. J'ai fabriqué des meubles, comme cette table, pour pouvoir m'acheter à manger. C'est une vie simple, mais honnête. J'ai aussi commercé avec une enchanteresse : des meubles contre des sorts empêchant Ingrid de me voir.

— Une enchanteresse ?

— Oui, elle était de passage dans la région. Je ne sais pas vraiment où elle vit… ni même si ses charmes fonctionnent vraiment, donc je prends mes précautions par ailleurs. J'ai parfois peur que la reine me surveille encore. Je voulais qu'Henrich te fasse passer par la forêt pour que personne ne te reconnaisse sur la route. Je sais que tu cours un grand danger en venant ici, mais quand Henrich m'a décrit le château et la belle jeune femme qui y vivait, j'ai su que ça ne pouvait être que toi. Je l'ai supplié de m'aider à te revoir et de te mettre en garde contre Ingrid. Comment t'es-tu échappée ?

Blanche reprit les mains du vieux roi.

— Père, elle a essayé de me faire assassiner. Son chasseur n'a pu s'y résoudre, pas après…

Elle s'interrompit un instant, la gorge nouée par l'émotion.

— Mère n'était pas malade. Ingrid l'a tuée comme elle a essayé de me tuer.

— Non, ta mère était malade, rétorqua-t-il, les yeux embués. Je l'ai vue dans son lit, je… je n'ai pas rêvé ?

Blanche comprenait son trouble. Elle avait elle aussi eu l'esprit ainsi embrumé, rempli de souvenirs qui n'étaient pas les siens, comme s'ils avaient été plantés là par quelqu'un d'autre.

— Non. Elle n'était pas malade. Pas vraiment. Je crois que Mère a été empoisonnée. Tante Ingrid nous a tous trompés.

Son père pleura en silence quelques minutes. Blanche lui caressait la main, incapable d'ajouter quoi que ce soit. Enfin, Georg reprit la parole.

— Ma chère Katherine, murmura-t-il. Mon amour ! Je suis désolé de n'avoir pu te sauver.

Ses yeux se durcirent soudain. Sa voix se remplit de haine pure.

— Cette femme est diabolique. Après tout ce que sa sœur a fait pour elle ! J'avais dit à ta mère qu'on ne pouvait pas lui faire confiance. La veille de sa mort, elle est venue me voir. Elle semblait paniquée à cause du miroir enchanté d'Ingrid. J'aurais dû bannir cette sorcière sur-le-champ ! Mais Katherine ne voulait pas. Son empathie l'a conduite à sa perte.

— Un miroir enchanté ? Pourquoi Mère était-elle si inquiète ?

Georg parut de nouveau confus.

— C'était un miroir spécial, je crois… Katherine a dit qu'Ingrid lui parlait, comme si c'était une personne. Elle a dit qu'il était maléfique, et qu'Ingrid y était attachée. Avec ta mère, nous nous sommes souvent demandé si Ingrid ne pratiquait pas la magie noire, mais Katherine ne voyait que la bonté chez les autres. Jusqu'à cette nuit funeste. Même si Ingrid n'avait jamais témoigné le moindre signe d'affection envers toi.

— Rien n'a changé de ce côté-là, soupira Blanche.

— Dès ta naissance, Ingrid a semblé jalouse. Elle n'a jamais voulu te bercer ni jouer avec toi comme ta mère ou les autres servantes le faisaient. Ingrid passait de plus en plus de temps enfermée dans sa chambre à faire Dieu sait quoi. Lorsque Katherine est venue me voir ce soir-là, elle était complètement bouleversée. Elle voulait que le miroir disparaisse. Elle répétait qu'Ingrid et le miroir ne faisaient plus qu'un. Je ne comprenais pas ce qu'elle voulait dire. Elle m'a supplié d'ordonner le retrait immédiat de cet objet, mais...

Il détourna les yeux et plaça les mains sur son visage.

— J'aurais dû le faire tout de suite. Pourquoi n'ai-je pas écouté Katherine ?

— Vous ignoriez de quoi Ingrid était capable, rappela Henri d'une voix douce. Qui aurait pu penser qu'elle assassinerait sa propre sœur ?

Blanche songea à ce miroir enchanté. Cette histoire lui disait quelque chose, mais elle n'arrivait pas à mettre le doigt dessus.

— Je n'ai jamais entendu les domestiques parler d'un tel miroir, dit-elle.

— Ils ignorent probablement son existence. Ingrid a toujours été très possessive et méfiante. Ta mère m'a dit qu'elle le gardait caché.

Ils discutèrent encore jusqu'à tard dans la nuit. Le roi tenait à savoir comment sa fille avait occupé sa vie au château. Il enragea en apprenant qu'elle avait dû s'éduquer seule et qu'elle avait passé ses journées à récurer le palais, mais il sourit chaleureusement quand elle annonça qu'elle s'était occupée de la volière.

— Ta mère en aurait été reconnaissante, dit-il, les larmes aux yeux.

Lorsqu'elle lui offrit la Flamme Rouge qu'elle avait gardée, elle crut qu'il ne s'arrêterait jamais de pleurer.

— Nous devrions nous reposer, suggéra Henri tandis que Blanche consolait son père. La journée a été éprouvante, et nous avons encore un long voyage demain.

— Oui, acquiesça Blanche à contrecœur.

Elle avait passé si peu de temps avec son père. Et elle n'avait toujours rien d'utile pour combattre la reine. Si personne ne connaissait l'existence de ce miroir, comment pourrait-elle s'en servir ?

Mais ces pensées s'envolèrent rapidement quand Blanche plongea dans un sommeil profond.

Ingrid

Dix ans plus tôt.

Bien qu'elle soit à l'autre bout du château, elle sentit le miroir s'éveiller. Cette sensation était devenue pour elle aussi naturelle que celle du sang coulant dans ses veines.

Pourtant, le miroir ne s'éveillait jamais si elle n'était pas à côté. Nul ne connaissait son existence, et il n'appelait donc qu'Ingrid. Ce jour-là, toutefois, elle le sentit s'adresser à quelqu'un d'autre.

Cette personne allait le regretter.

— Votre Majesté ? l'interrogea son conseiller privé, la tirant de ses pensées. (Il consulta son parchemin.) Vous disiez qu'il était temps que notre drapeau flotte de nouveau fièrement sur notre royaume ?

— Quoi ? aboya Ingrid.

Ses doigts comprimaient tant les accoudoirs de son trône que ses ongles s'enfonçaient dans le bois doré.

Elle devait sortir de là immédiatement et voir ce qu'il se passait dans ses appartements privés. Mais elle remarqua la réaction de son entourage. Ils ne comprenaient pas qu'une reine qui ne soit pas de sang royal soit autorisée à régner, mais elle avait balayé leurs doutes en leur annonçant que Georg avait « abandonné » son peuple. Elle avait soutenu que Blanche était encore trop jeune pour monter sur le trône, ce qui était vrai. Et comme les frères de Georg avaient succombé à la peste plusieurs années plus tôt, il n'y avait aucun héritier. C'était donc Ingrid ou personne, jusqu'à ce que Blanche soit en âge de régner. Plusieurs proches de la couronne avaient accepté, et ils se tenaient maintenant devant elle. Si Ingrid voulait imposer ses changements, elle avait besoin d'alliés. Et jouer la sœur et veuve éplorée lui attirait la sympathie de la cour.

— Veuillez pardonner mon éclat de voix, s'excusa Ingrid en se tenant la tête. Je souffre d'une terrible migraine.

— Oh, Votre Majesté ! s'inquiéta Mila, sa nouvelle demoiselle de compagnie. Vous devriez retourner dans votre chambre pour vous allonger. Nous ne pouvons nous permettre que vous tombiez malade.

Cette jeune femme insipide était un vrai petit chien. Elle la suivait partout dans le château en proposant son aide. Mais Ingrid voulait seulement être seule ! En même temps, il fallait bien que quelqu'un exécute toutes ses requêtes. Elle avait donc accepté que cette femme, qui lui semblait dévouée corps et âme, reste au palais. Mais quand même, elle devait apprendre qu'il y avait des limites, comme les autres. Elle avait déjà renvoyé la moitié des domestiques. Elle n'avait pas besoin d'autant de moucherons autour d'elle. Et si l'un d'eux trouvait son miroir ? Non, il valait mieux réduire le nombre de serviteurs au château. Elle n'hésiterait pas à recommencer.

— Non. Comme je l'ai déjà dit, si j'ai besoin de quelque chose, je te le ferai savoir.

Le sourire de Mila s'effaça, et la jeune femme disparut dans un coin de la pièce.

— Nous étions au beau milieu d'une discussion, je remplirai donc mon devoir et je me soucierai de ma santé plus tard.

— Cela peut attendre, ma reine, annonça un membre de la cour. La santé de Sa Majesté passe avant tout. Le royaume a besoin de vous. Nous n'avons que vous.

— Jusqu'à ce que Blanche soit majeure, rappela un autre courtisan.

Elle dévisagea l'homme. Jamais une jeune femme ignare ne la remplacerait sur le trône. Mais elle aurait tout le temps de s'occuper de ce petit désagrément plus tard. Elle radoucit son visage.

— Si vous insistez, je vais me retirer. Mais avant cela, que disiez-vous à l'instant au sujet du drapeau ?

Chaque muscle de son corps était tendu. Elle devait retourner dans sa chambre et s'assurer que tout allait bien. Mais elle devait aussi être patiente. Elle ne pouvait pas prendre le risque de se mettre la cour à dos alors qu'elle venait juste d'obtenir tant de pouvoirs.

L'homme en question se gratta la tête. Sa perruque blanche bougea légèrement. Ingrid aimait que ses courtisans soient tous vêtus de la même manière, jusqu'aux perruques. C'était bien plus civilisé. Qui plus est, elle détestait devoir retenir les noms. Accoutrés ainsi, ils étaient interchangeables.

— Je disais que le drapeau est en berne depuis la mort de la reine Katherine, il y a six mois.

« La mort de la reine Katherine. » Ces mots étaient toujours aussi douloureux. Ingrid se tourna nerveusement vers les recoins sombres de la pièce. Elle avait souvent l'impression d'y voir sa sœur, aussi belle et radieuse qu'avant sa mort. Ce n'était que le fruit de son imagination – les fantômes n'existent pas –, mais ces visions la réconfortaient ou l'angoissaient. Personne n'avait pu déceler le poison que son fidèle chasseur avait versé dans le repas de Katherine. Personne ne se doutait que c'était ce qui avait causé la maladie fatale de la reine.

Mais, désormais, elle voyait Katherine partout, tout comme elle voyait le visage de son maître chaque fois que le miroir ne lui donnait pas entière satisfaction. Comme une allusion agaçante à tout ce qu'elle avait dû perdre pour devenir reine. Elle n'avait pas eu le choix. Elle n'aurait jamais pu laisser son maître garder le miroir et elle avait refusé que Katherine le détruise. Pourtant, elle ne pouvait s'empêcher de ressentir une forme de gêne quand Blanche pleurait ou refusait de manger. Ingrid avait le sang de sa mère sur les mains, et cela ne changerait jamais, quoi qu'elle fasse.

— Je suppose qu'il est temps de mettre fin au deuil, même si notre ancienne reine restera à jamais dans nos cœurs, décréta Ingrid.

Elle entendit le miroir parler encore. Mais à qui ?

L'homme se tourna vers les autres courtisans, l'air inquiet.

— Ne devrions-nous pas garder le drapeau en berne encore un peu, en l'absence du roi Georg ? Et s'il revenait ?

Ingrid se pencha vers lui, outrée.

— Le roi est un traître ! Il a abandonné son trône, son peuple, sa fille, sans parler de sa nouvelle épouse. Il ne mérite pas notre sympathie. Il ne reviendra jamais, croyez-moi.

Le conseiller baissa les yeux.

— Oui, Votre Majesté.

Elle balaya la pièce du regard. Son ton avait choqué les autres, mais tant pis. Elle devait se montrer ferme pour tout ce qui concernait Georg.

— Veuillez m'excuser. Tout cela a été si éprouvant pour nous. Et plus encore pour la jeune Blanche.

Ingrid se leva. Tout le monde inclina la tête.

— Que le drapeau flotte de nouveau. Affichez un décret dans tout le royaume annonçant la fin du deuil national. Et que toutes les recherches du roi Georg soient abandonnées, sans quoi il y aura des conséquences. Cet homme a perdu la raison, il n'est plus en état de régner. Rappelez au peuple ce qu'il a fait et dans quel état il a laissé le royaume.

— Oui, Votre Majesté, firent tous les sujets en chœur.

Elle sortit à la hâte de la salle du trône et traversa les couloirs du château au pas de course, évitant de croiser le regard de qui que ce soit. Elle détestait faire la conversation, de toute façon. Elle sentait le miroir s'agiter, et les poils sur sa nuque se hérissaient. Qui avait osé pénétrer dans ses appartements et parler au miroir ? N'avait-elle pas clairement déclaré que personne ne devait entrer dans sa chambre ? Elle refusait que l'on y lui laisse de la nourriture : les plateaux devaient être déposés devant sa porte. Elle interdisait également que l'on y fasse le ménage. Personne ne devait trouver le miroir. Il appartenait à elle, et à elle seule.

Quiconque l'avait trouvé en paierait le prix.

Après avoir soigneusement verrouillé la porte derrière elle, elle scruta les lieux à la recherche du coupable qui avait eu l'audace de violer son espace intime. Quelques coussins avaient été déplacés sur la banquette de sa fenêtre, mais la chambre était déserte. Elle se dirigea vers sa garde-robe et s'apprêtait à actionner le levier qui ouvrait l'accès à son donjon personnel, là où elle communiait avec son miroir, quand elle se rendit compte qu'il était déjà baissé.

Elle entra comme une furie dans la pièce obscure, prête à condamner l'intrus à la peine capitale, mais les mots lui manquèrent quand elle découvrit la scène. Dans l'éclat verdâtre du miroir, elle distingua une silhouette, la main tendue vers la glace lisse et froide. La forme la troublait, elle était petite et semblait se dresser sur la pointe des pieds. C'est alors qu'elle comprit...

— Blanche ! s'écria la reine en se précipitant vers la fillette pour l'éloigner du miroir avant que ses petits doigts n'en touchent la surface. Comment es-tu entrée ici ?

Ingrid hurlait. Elle secouait la princesse par les épaules si fort qu'elle ne savait plus qui tremblait le plus, Blanche ou elle.

Sa nièce éclata en sanglots. Les larmes roulèrent sur ses joues de porcelaine. Sa robe ivoire était couverte de saleté. Elle avait rampé dans la poussière pour accéder aux appartements d'Ingrid. Il y avait des passages secrets partout dans ce château ; elle devrait les faire condamner au plus vite. Le chignon de Blanche, au sommet de sa chevelure d'ébène, était de travers. Ingrid se demanda vaguement qui avait bien pu la coiffer, ce matin. Autrefois, c'était Katherine qui s'en chargeait. Ingrid n'avait jamais daigné le faire. Cela devait bien faire plusieurs jours, sinon des semaines, qu'elle n'avait pas vu l'enfant. Si elle devait être honnête avec elle-même, elle faisait tout pour l'éviter. Pendant des mois, à la demande de Georg, elle avait essayé de se rapprocher de la princesse, mais elle avait fini par baisser les bras. Chaque fois qu'elle la croisait, Blanche pleurait : d'abord pour sa mère, et maintenant pour son père. Cette fois, les larmes coulaient à flots. Ses sanglots étaient si déchirants que la reine baissa légèrement sa garde.

— Oh, ma pauvre enfant…

— Il a dit que je pourrais voir Mère ! lança Blanche en fixant sa tante de ses grands yeux noisette. (Elle était le portrait craché de sa mère.) Il a dit que je n'avais qu'à le toucher.

— Comment ?

Ingrid ne savait plus contre qui tourner sa colère : vers le miroir qui l'avait trahie, ou la petite sotte qui avait bien failli détruire tout ce qu'elle avait patiemment construit.

— Blanche, sors de cette pièce.

— Non !

Les larmes cédèrent la place à un accès de colère. La petite fille se mit à tambouriner sur la poitrine d'Ingrid.

— Je veux voir Mère ! Il me l'a promis ! Il faut juste que je le touche !

Tant qu'elle vit, ton pouvoir déclinera jusqu'aux abîmes. Dans ce jeu, elle est l'héritière légitime.

— Menteur ! Tu voulais te servir d'elle pour tes propres desseins ! cria Ingrid en direction du miroir.

Blanche s'immobilisa. Elle dévisagea sa tante. Puis elle s'enfuit de la pièce.

Ingrid la rattrapa sans difficulté avant qu'elle n'atteigne sa chambre. Dès que sa tante la toucha, la petite Neige s'effondra comme un château de cartes. Elle éclata en pleurs et se blottit contre Ingrid. Pour la seconde fois en quelques minutes, la reine fut prise au dépourvu. Blanche ne l'avait jamais enlacée ainsi. Pas même après la mort de Katherine ; pas même après le mariage précipité avec Georg, auquel la fillette de sept ans n'entendait rien.

Ingrid s'était rapidement lassée de son nouveau rôle. Elle avait été obligée d'épouser le roi Georg : pour accéder au pouvoir, elle devait conquérir la couronne. Mais elle avait rapidement compris qu'elle ne se contenterait pas de jouer les épouses modèles ou de servir de faire-valoir. Elle voulait régner seule. Elle avait un temps pensé se satisfaire de l'adoration de Georg, mais au lieu de cela, elle n'avait éprouvé que du dégoût pour cet homme incapable de percer son sortilège.

Chaque soir, avant de dormir, elle versait sa potion dans le verre de Georg. Mais un jour, elle en eut assez. Son amour pour elle n'était pas sincère, pas plus que le sien pour lui. Elle s'était sentie soulagée comme jamais quand elle avait ordonné à un garde d'emmener Georg pour mener une existence de banni dont il ne pourrait jamais revenir. Elle avait tué le garde, bien sûr, mais avait laissé la vie sauve à Georg. Pas par pitié. Par nécessité : comme le lui avait révélé le miroir, elle pourrait avoir besoin de son sang royal, un jour. C'était un ingrédient puissant pour de nombreux sortilèges et, malheureusement, son propre sang ne serait jamais assez précieux, même si elle portait maintenant la couronne. Mieux valait garder le roi sous la main.

Mais que devait-elle faire de Blanche ? Le miroir lui suggérait constamment de mettre fin à ses jours, mais chaque fois qu'elle y songeait, le fantôme de Katherine lui apparaissait. Elle se justifiait en affirmant qu'elle laissait la princesse grandir pour qu'elle se rende compte de ses propres yeux de la tristesse de ce monde et qu'elle comprenne, peut-être, qu'il était préférable de laisser le royaume aux mains d'Ingrid.

Ne sois pas naïve, suis le plan. La princesse se dresse devant ton serment.

Ingrid ignora la voix. Elle n'était pas naïve, elle n'était tout simplement pas prête à assassiner une fillette, même si elle détestait presque autant l'idée d'en élever une. Elle avait suffisamment donné avec Katherine, et pour quel résultat ?

Mais voilà que cette enfant, qu'elle avait tout fait pour ignorer, se lovait contre elle en quête d'un peu de réconfort. Ingrid se surprit à lui caresser les cheveux, à essayer de la calmer.

— Ta mère n'est plus. Aucun miroir ne pourra la ramener. Et ton père nous a trahies. Il n'avait plus toute sa tête après la mort de ta mère. Maintenant qu'il est parti, il n'y a plus que toi et moi. Mon père m'a fait la même chose, tu sais. Katherine et moi, nous avons perdu notre mère quand nous étions petites. Elle t'en a déjà parlé ?

Blanche secoua la tête.

— Notre père ne voulait pas s'occuper de nous. Alors nous nous sommes enfuies, expliqua Ingrid, le cœur serré même après toutes ces années. Nous sommes restées ensemble pour survivre dans le royaume, et nous y sommes parvenues pendant de longues années jusqu'à...

« Jusqu'à ce qu'un homme s'interpose entre nous », voulut-elle dire.

— Peu importe. Le fait est que nous n'avons besoin de personne pour nous en sortir. Ton père nous a sous-estimées. C'était une grave erreur.

Blanche se calma quelque peu. C'était peut-être l'occasion de trouver un terrain d'entente avec la princesse.

— Plus personne ne nous sous-estimera, à l'avenir, continua la reine. Nous sommes des souveraines, des femmes puissantes. Quiconque osera nous menacer, fit-elle à l'adresse du miroir autant que de sa nièce, connaîtra pire sort que la mort.

Blanche s'éloigna de sa tante. Elle recula à l'aide de ses mains et de ses pieds, comme une araignée. L'expression de son visage trahissait une terreur pure. Qu'est-ce qui avait bien pu l'effrayer ainsi ? Le mot « mort » ? Petite sotte impressionnable.

— Blanche, reviens, lui demanda Ingrid, légèrement irritée. Je n'ai pas fini.

Elle tapota ses cuisses, là où la petite fille était encore confortablement installée quelques secondes plus tôt.

— Non ! sanglota de nouveau la princesse en courant vers la porte, qu'elle déverrouilla. Tu n'es pas ma mère, tu ne le seras jamais !

Elle sortit de la pièce et claqua la porte si fort qu'un vase tomba d'une console et se fracassa par terre.

Ingrid sentit la colère lui parcourir les veines. Elle ferma les yeux. Une violente migraine arrivait. Lorsqu'elle rouvrit les yeux, ils étaient là, tous les deux. Katherine. Son maître. Ils la toisèrent un moment, puis se dirigèrent silencieusement vers la porte que Blanche venait d'emprunter. Et ils disparurent derrière, sans un mot.

Une jeune fille en loques, dont les haillons ne peuvent dissimuler la grâce, est, hélas, encore plus belle que toi, répéta le miroir, comme s'il la narguait. *Lèvres rouges comme la rose, cheveux noirs comme l'ébène, teint blanc comme la neige. Blanche-Neige.*

Blanche

Cette nuit-là, dans la chaumière de son père, Blanche dormit d'un sommeil agité.

D'ordinaire, le soir était pour elle un moment bienvenu. Le repos lui permettait non seulement de fuir sa morne existence, mais c'était surtout une chance de revoir sa mère. Certes, les songes ne remplaceraient jamais les instants passés auprès d'elle, mais ses visions étaient si nettes qu'elle avait parfois l'impression que sa mère était bel et bien là. Cette fois, les rêves avaient pris des allures de cauchemars.

Elle était effectivement avec sa mère, mais l'atmosphère était lourde et froide. Elles étaient drapées d'un sentiment d'urgence, comme si le temps leur manquait, sans que Blanche comprenne pourquoi. Dans ses rêves, le château était habituellement tel qu'elle l'avait connu dans sa jeunesse : fleuri et florissant, coloré et joyeux ; mais cette fois, le spectacle était désolant. Sa mère avançait devant elle dans les couloirs sombres et humides du palais, emplis d'une étrange fumée.

— Suis-moi, répétait sa mère en ouvrant la marche à la lueur d'une chandelle.

Blanche n'en avait pas envie. Le chemin qu'elles empruntaient ne lui était pas familier. Elle n'avait encore jamais mis les pieds dans cette partie du château. Il y régnait un air maléfique. Blanche s'immobilisa. Aussitôt, des plantes s'enroulèrent autour de ses jambes. Elle ne parvenait plus à avancer.

— Suis-moi, l'appela encore sa mère sans se soucier des vignes. Vite, c'est important !

Les plantes disparurent, et Blanche n'eut d'autre choix que d'écouter sa mère. Elle se remit en marche et comprit soudain où elle se trouvait. Dans l'aile de tante Ingrid.

— Nous ne devrions pas être là, dit la princesse à sa mère. Elle pourrait nous surprendre.

Sa mère se tourna et lui sourit tristement.

— C'est déjà le cas. Viens voir, c'est important.

Elle conduisit Blanche vers la chambre de sa tante et jusqu'au mur de la garde-robe, puis appuya sur un petit cœur en bois sculpté dans la porte. Le mur cliqueta et révéla un passage secret. L'ancienne reine fit signe à sa fille de la suivre. Blanche s'exécuta et se retrouva dans une salle sombre avec des murs froids comme ceux d'un donjon.

— Regarde, lui dit sa mère en pointant le doigt vers l'obscurité.

Blanche ne voulait pas regarder, mais sa mère répéta son nom jusqu'à ce qu'elle ouvre les yeux.

Là, sur le mur au-dessus d'une estrade, se trouvait un grand miroir.

Un épouvantable visage masqué était dessiné à sa surface. Il n'avait pas l'air complètement humain. On aurait dit que le tonnerre résonnait à l'intérieur de la pièce, où la fumée s'épaississait.

Blanche fixa le miroir, intriguée, et ressentit le besoin impérieux de le toucher. Il lui paraissait familier. Était-elle déjà venue ? Pourquoi l'objet semblait-il l'appeler ?

— Méfie-toi, elle sait que tu es en vie. Elle s'en prendra à toi et ne te laissera aucun répit, lui annonça le miroir.

Blanche s'éveilla, le souffle coupé.

— Blanche !

Henri, qui se tenait devant l'âtre, se précipita à ses côtés. Son père était juste derrière lui.

— Vous allez bien ?

— Je l'ai vu ! Le miroir de la reine ! Celui dont parlait ma mère !

Le vieux roi et le jeune prince la regardèrent tous deux, inquiets.

— Il est venu à moi dans un rêve, expliqua Blanche, en jetant un regard implorant à son père. Enfin, c'est ma mère qui m'y a conduit. Je sais où il est caché. Il est dans les appartements d'Ingrid.

Puis elle baissa les yeux et, après un instant d'hésitation, ajouta :

— Je crois qu'il me connaît. Je l'ai déjà vu.

— Comment ? s'exclama son père. Elle t'a mêlé à ses arts occultes ?

— Non, j'y suis allée seule, fit Blanche en essayant d'invoquer ses souvenirs. Le miroir m'a appelée un jour, comme dans ce rêve. J'étais petite. Je crois que c'était après la mort de Mère. Il m'a conduite droit à lui, comme s'il voulait que je sois là, mais tante Ingrid est arrivée. Elle était furieuse.

Blanche se tourna vers Henri et fit de son mieux pour ne pas avoir l'air apeurée.

— Mais le rêve que j'ai fait cette nuit était différent. La reine sait que je suis vivante. Le miroir me l'a dit. Elle va s'en prendre à nous.

Henri soupira.

— Alors, reste, insista son père. Je te défendrai.

Blanche lui caressa le bras.

— Non, Père. Tu sais que ça ne suffira pas. Si elle sait effectivement que je suis en vie, elle me trouvera, où que je sois. Il est même possible qu'elle commence par me chercher ici.

— Qu'elle vienne ! tonitrua Georg. Je suis prêt à l'affronter.

Henri et Blanche regardèrent le roi. Elle savait que le prince pensait la même chose qu'elle. Son père avait vieilli. Et la reine maîtrisait la magie. Qui plus est, si sa tante lui avait enseigné quelque chose, c'est qu'elle n'avait pas besoin d'un homme pour se défendre. Elle avait vécu dans l'ombre d'Ingrid suffisamment longtemps. C'était à son tour de protéger les autres. Elle venait juste de retrouver son père et n'avait aucune intention de le perdre de nouveau à cause de la reine. C'était à elle de mener ce combat.

— Nous devons accéder au miroir, décréta Blanche.

— Oui, avant qu'elle ne vous trouve, vous ou Georg, ajouta Henri.

Le roi voulut protester, mais Blanche l'interrompit :

— C'est notre seule chance de l'arrêter. Ce miroir pourrait nous servir de monnaie d'échange pour l'obliger à lever la malédiction qui t'empêche de rentrer. Nous pourrions peut-être même l'obliger à quitter le royaume et à ne plus jamais y revenir…

— Non, répondit simplement son père. Nous ne pouvons pas simplement l'éloigner. Elle est trop dangereuse. Elle a fait trop de mal et a détruit notre royaume. Œil pour œil…, dit-il à voix basse. Nous devons venger ta mère, et pour ça, la reine doit payer.

— Une injustice n'en répare pas une autre. C'est ce que Mère et toi m'avez appris.

— Elle a tué ta mère ! s'emporta Georg. Elle a essayé de te tuer, toi. La Méchante Reine doit mourir !

Mourir ? Blanche n'était pas sûre de pouvoir tuer quelqu'un de sang-froid, mais l'heure n'était plus aux discussions. Le temps pressait.

— Je dois d'abord trouver le miroir. Le cacher ou le détruire. Il faut s'en débarrasser.

— Si elle y tient tant, elle ne vous laissera jamais l'approcher, réfléchit Henri. Peut-être accepterait-elle de partir sans faire d'histoires si vous l'autorisez à le garder.

— Ingrid ? Jamais. Je peux vous le garantir, rétorqua tristement son père, avant de se tourner vers Blanche. Si tu pars, je ne pourrais pas t'aider à la combattre, ma fleur de neige. Pas tant que je suis prisonnier de son sortilège.

Blanche lui prit les mains.

— Je vais trouver un moyen de te libérer. Je briserai le mauvais sort. Je libérerai le royaume de la tyrannie de la Méchante Reine et je sauverai notre peuple. Je ne la laisserai pas continuer à torturer ceux que j'aime. Je t'en fais la promesse.

Georg prit le visage de sa fille entre ses mains. Ses yeux étaient rougis et humides.

— Méfie-toi des promesses, ma Blanche-Neige.

Ingrid

Blanche-Neige était vivante.

Le miroir se fêlait.

Dans un accès de rage, Ingrid surgit hors de ses appartements et descendit les marches du château jusqu'au premier étage sans se faire voir. Ce n'était pas difficile. Elle avait récemment renvoyé plusieurs autres serviteurs qu'elle avait surpris en train de fouiner dans son aile privée. Elle ne pouvait faire confiance à personne. Et, désormais, le miroir la trahissait aussi. Comment Blanche-Neige avait-elle pu survivre ? Le chasseur était le fils de l'homme qui l'avait aidée à empoisonner Katherine, il y a tant d'années. Comment la princesse avait-elle pu le convaincre de la laisser partir ?

Hors d'elle, elle se dirigea droit dans son repaire, dans le donjon le plus profond du palais. À vrai dire, il y avait deux donjons au sous-sol : celui où les gardes enfermaient les ennemis du royaume pour qu'ils y pourrissent, et celui qu'elle avait fait murer et qui comportait un escalier privé. Un couloir desservait plusieurs cellules et la salle des potions. Personne n'en connaissait l'existence, et, de fait, la poussière s'accumulait. Les toiles d'araignée tapissaient les murs, et les rats détalaient de toutes parts, mais elle s'en moquait. Ils pouvaient même lui être utiles pour certaines préparations. Tout ce qui comptait était qu'elle seule pouvait venir ici.

— Le cœur d'une biche ! s'écria Ingrid en jetant le coffret dans un coin.

Elle s'adressait au seul être vivant qui pouvait l'entendre : un corbeau. Était-ce le même qui était apparu à sa fenêtre chaque jour de la semaine précédente ? Elle l'ignorait, mais le volatile avait quelque chose de rassurant. Il semblait partager sa part d'ombre et compatir à ses problèmes, ce que le miroir était devenu incapable de faire.

Elle balaya son antre du regard. Plusieurs potions bouillonnaient dans des ballons et autres vaisseaux. Elles lui seraient inutiles pour la fille. Il s'agissait de sortilèges de confusion, destinés à ceux qu'elle devait manipuler. Il y avait aussi des tonifiants pour son usage personnel. Elle les avait concoctés avec l'aide du miroir magique. Mais aucun de ces breuvages ne fonctionnerait sur la princesse. Cette fois, elle ne pouvait plus compter sur un être magique ou un chasseur pour accomplir sa mission. Si elle tenait vraiment à faire disparaître Blanche-Neige, elle devrait s'en charger elle-même.

Mais comment ?

Elle regarda autour d'elle en quête d'une source d'inspiration. Ses yeux se posèrent sur l'étagère poussiéreuse dans un coin de la pièce. Le dos d'un livre, sur lequel était inscrit « Déguisements », attira immédiatement son regard. *Oui !* Elle savait où se trouvait la fille, tout ce qu'elle avait à faire était de se rendre au logis des nains sous une apparence trompeuse et de se débarrasser de Blanche une bonne fois pour toutes. Mais elle devait trouver un bon déguisement, à même de dissimuler la beauté pour laquelle elle avait tant œuvré. Bien sûr, ce ne serait que temporaire, mais il fallait que ce soit crédible.

Ingrid tira le livre de l'étagère et le feuilleta soigneusement jusqu'à trouver la bonne formule. Un déguisement de mendiante. Parfait. Les petits hommes avaient sans doute mis Blanche en garde de n'ouvrir la porte à personne, mais si la princesse était comme sa mère, elle se laisserait forcément apitoyer par une pauvre vieille femme. Ingrid lut rapidement les instructions. C'était un sortilège délicat qui exigeait des ingrédients d'une grande rareté. Elle avait pillé les réserves de son maître après sa mort et avait récupéré tout ce qui lui semblait utile. Malgré cela, elle n'aurait probablement pas de quoi faire plus d'une dose de cette potion. Ingrid étudia la formule pour inverser le sort : les ingrédients nécessaires étaient presque tous les mêmes. En aurait-elle assez ? Où donc pourrait-elle trouver de la poussière de momie ou du noir de nuit ?

Le corbeau caqueta en écho au tonnerre qui résonnait au loin. L'antre de la reine était pourvu d'une petite lucarne donnant sur le monde obscur au-dehors. La pluie arrivait.

Blanche-Neige. C'est elle la plus belle, disait la voix du miroir dans sa tête.

Elle n'avait plus de temps à perdre. Ce n'était pas le moment de s'inquiéter de ses ingrédients pour inverser le sort. Elle devait utiliser ce qu'elle avait avant que la princesse ne vienne réclamer le trône.

Ingrid rassembla les fioles nécessaires. Elle suivit scrupuleusement les étapes mentionnées dans le grimoire et versa les ingrédients un à un dans le chaudron. Elle veilla à annoncer à voix haute son intention. Son maître lui avait assez ressassé que la force d'une potion résidait dans le lien que le magicien créait avec les forces obscures.

— Changez mon manteau de souveraine en haillons.

Elle versa une poudre dans le chaudron rempli d'huiles bouillonnantes, toujours prêtes à l'emploi.

— Poussière de momie pour me vieillir. Pour changer ma tenue, du noir de nuit. Pour vieillir ma voix, un caquet de vieille mégère. Pour blanchir mes cheveux, un hurlement d'effroi !

La potion s'épaississait, écumait. Le liquide tourna au vert, comme l'annonçait le grimoire.

— Ajoutons encore la foudre au mélange final !

Le tonnerre éclata comme si les cieux avaient entendu l'appel de la sorcière.

Ingrid préleva rapidement une louche de potion qu'elle versa dans une coupe de cristal. Elle porta la décoction verdâtre à ses lèvres. Elle hésita une fraction de seconde et regarda une dernière fois ses belles mains. Elle avait passé de longues années à les perfectionner. Dans un instant, elles seraient décrépites et veineuses. Elle n'était pas sûre de pouvoir supporter cette vision.

Blanche-Neige. C'est elle la plus belle.

Ingrid se ressaisit. Elle avala d'une traite le contenu de son verre. La potion avait un goût de bile si infect qu'elle regretta aussitôt de l'avoir avalée. Sa vue se troubla. La pièce se mit à tourner autour d'elle. Le gobelet de cristal lui échappa des mains et se brisa au sol. Ingrid étouffait. Elle n'arrivait plus à respirer et porta les mains à sa gorge. Quelque chose n'allait pas. Elle était en train de perdre connaissance.

Mais, au moment où elle allait s'écrouler, elle sentit quelque chose changer. Lentement, la main autour de son cou se décatit. Sa splendide robe s'évanouit, remplacée par une vulgaire tunique semblable à celle que l'épouse du paysan portait tout le temps. Ses cheveux devinrent hirsutes et blancs, des racines aux pointes. Son nez s'allongea et se para de verrues purulentes. Les veines sombres se dessinaient sous sa peau blême. C'était parfait ! Elle ne mourrait pas. Le sort avait fonctionné. Elle gloussa.

— Ma voix ! Oh, ma voix ! dit-elle sans en reconnaître le timbre.

Blanche-Neige n'y verrait que du feu. Maintenant, elle pouvait se concentrer sur ce qu'elle ferait à la fille une fois qu'elle la trouverait. Elle allait œuvrer seule, il lui faudrait donc quelque chose de rapide et simple. Préparer un poison tel que celui qu'elle avait donné à Katherine lui prendrait des jours. Elle devait trouver une chose à laquelle la jeune fille ne pourrait résister. Un genre de mort digne d'une telle beauté.

Elle attrapa un autre ouvrage. Ses mains fripées et squelettiques semblaient celles d'une autre. Elle tourna rapidement les pages. Une pomme empoisonnée. Le sommeil de mort. N'était-ce pas poétique ? La vie de Katherine avait basculé grâce à ses Flammes Rouges et, maintenant, sa fille allait périr à cause d'elles ! Elle lut la description du sortilège : « Une tranche de la pomme empoisonnée, et les yeux de la victime se fermeront à jamais dans un sommeil de mort. » C'était parfait.

Elle soupira, frustrée de sa lenteur sous cette nouvelle enveloppe charnelle. La jeunesse éternelle était le seul âge honorable. Avec toute la vigueur possible, elle regroupa les ingrédients et les mit à mijoter dans le chaudron. Par chance, elle avait encore un fruit sous la main. Elle attrapa la Flamme Rouge et la plongea dans le bouillon.

— Plongeons la pomme dans le chaudron pour qu'elle s'imprègne de poison ! proclama Ingrid.

Elle remarqua qu'elle parlait soudain en rimes, comme le miroir le faisait toujours. Elle avait presque l'impression que l'objet parlait à travers elle. Mais, cette fois, elle travaillait seule.

Une minute plus tard, elle ressortit le fruit et l'observa pour voir si la magie avait fait effet. Alors que la potion bleuâtre coulait lentement, Ingrid crut voir un crâne se dessiner à sa surface.

— Vois apparaître sur le fruit le symbole de ce qui détruit ! lança-t-elle au corbeau. Pomme, deviens rouge pour tenter Blanche-Neige et lui donner envie de te croquer !

Lentement, la pomme redevint rouge vif. Ingrid éclata d'un rire mauvais. Elle tendit le fruit idéal vers le corbeau.

— Tu en veux ?

L'oiseau paniqua et s'envola en caquetant.

— Ce n'est pas pour toi ! C'est pour Blanche-Neige. Quand elle mordra dans cette pomme pour goûter à ce fruit mortel, son souffle s'arrêtera, son sang se glacera. Et je serai la plus belle sur Terre !

Ingrid admira son œuvre encore un peu. C'était une pomme digne d'un roi, aurait dit Katherine. D'une princesse également, à n'en pas douter. Elle était rouge comme un rubis et de la forme d'un cœur. La reine la déposa au centre d'un panier de fruits, bien en évidence pour que Blanche la repère facilement. Si elle se mettait en route dès maintenant, en passant par la trappe de son donjon, elle pourrait voyager de nuit et atteindre la chaumière des nains aux premières lueurs du jour, juste quand les petits hommes partaient à la mine. Elle n'avait aucunement besoin du miroir, elle pouvait parfaitement trouver le chemin seule !

Alors qu'elle se dirigeait vers la trappe, elle s'arrêta soudainement. Elle se retourna vers le corbeau, qui avait repris place dans son alcôve et la regardait d'un air curieux.

— Voyons ! Il y a peut-être un antidote ! s'écria-t-elle en reprenant son grimoire. Il ne faut rien négliger. Ah ! Nous y voici. « La victime du sommeil de mort ne peut être ramenée à la vie que par un premier baiser d'amour. »

Elle referma le livre et éclata d'un rire dément. Elle reprit son panier de pommes et ouvrit la trappe au sol. Un premier baiser ? Il n'y avait pas de danger. Les nains la croiraient morte. Ils l'enterreraient vivante !

Satisfaite, Ingrid disparut dans le sous-sol de son donjon sans laisser de traces.

Blanche

Blanche avait l'impression qu'on lui arrachait une partie de son âme. Après dix années loin de son père, il lui était cruellement douloureux de le quitter au terme d'une toute petite soirée. Surtout quand l'avenir était aussi indécis. Son père n'était pas sûr de la revoir un jour, mais Blanche le lui promit.

— Je reviendrai te chercher, dit-elle en l'embrassant.

Son père ne protesta plus.

— Prenez soin l'un de l'autre, dit-il simplement, en regardant tour à tour sa fille et Henri.

— Oui, Votre Majesté, répondit le prince.

Blanche sourit. Même si le roi était exilé, sans couronne ni peuple derrière lui, Henri l'honorait de son titre. La princesse avait pensé qu'il serait rentré en son royaume après l'avoir aidée à retrouver son père, mais il avait insisté pour la raccompagner jusque chez les nains. Elle n'avait pas refusé. Elle appréciait sa compagnie et était heureuse de pouvoir passer encore un peu de temps auprès de lui.

Son père déposa un petit objet au creux de sa paume et referma ses doigts dessus.

— Emporte ceci, murmura-t-il.

Elle ouvrit la main et y découvrit un élégant collier orné de pierres bleues.

— Il appartenait à ta mère. C'est le premier cadeau que je lui ai offert… quand j'ai commencé à la courtiser. Elle l'a porté jusqu'à notre mariage, dit-il en souriant. Après sa mort…

Les mots se bloquèrent dans sa gorge. Blanche lui prit la main.

— Après sa mort, je l'ai gardé sur moi, contre ma poitrine. C'est peut-être idiot, mais j'avais ainsi l'impression qu'elle restait près de mon cœur. Je l'avais quand Ingrid m'a chassé. Elle n'a jamais fait attention à ce collier. C'est comme si ta mère m'avait offert un dernier présent. J'ai toujours espéré pouvoir te le transmettre un jour.

— Il est magnifique, dit Blanche en passant ses doigts sur les froides pierres taillées.

— Je ne peux voyager avec vous, mais ce collier pourrait t'être utile. Certains le reconnaîtront. C'était le cas de l'enchanteresse, quand j'ai croisé sa route. Ce collier m'a protégé pendant toutes ces années. Et il te protégera aussi.

Blanche aurait voulu le porter tout de suite, mais il était trop précieux pour la paysanne qu'elle était censée être. Les joyaux étaient bien trop voyants. Elle le rangea donc dans la poche de son chemisier et, comme son père avant elle, elle garda sa mère près de son cœur.

— Merci, dit Blanche en embrassant encore son père. Un jour – bientôt –, je le porterai. Lorsque la reine sera partie, que tu seras rentré et que je serai...

Je serai quoi ? Couronnée ? Elle marqua une pause. Son père voudrait-il remonter sur le trône lorsque tout serait fini ?

Le vieux roi sourit. Il comprenait parfaitement son hésitation.

— Oui, ma fleur de neige. Tu le porteras lorsque tu seras reine. Mon époque est révolue. Tu es l'avenir de ce royaume. Et si tu le libères de la Méchante Reine comme tu entends le faire, le peuple fera de toi sa nouvelle souveraine. Je pourrai te conseiller, être à tes côtés, mais ton heure est venue.

« Ton heure est venue. » Les paroles de son père résonnaient dans ses oreilles. Trouverait-elle la force d'être une bonne reine ? Elle y songea un instant, mais s'aperçut qu'elle connaissait déjà la réponse. Oui, elle y arriverait. Elle imaginait déjà tout ce qu'elle pourrait faire pour rendre au royaume son lustre d'antan, le faire prospérer comme il prospérait sous le règne de ses parents. Elle redresserait les torts subis par les mineurs. Elle donnerait les moyens nécessaires aux fermiers pour que l'agriculture redevienne florissante. Elle scellerait de nouveaux accords commerciaux avec les royaumes voisins, comme celui d'Henri. Les possibilités étaient infinies.

Mais auparavant, elle devait contraindre sa tante à renoncer au trône.

La seule chose qui la troublait était que son père souhaitait la mort de la Méchante Reine. Elle avait beau ressentir une colère profonde pour la femme qui lui avait tant pris, Blanche n'était pas certaine de pouvoir ôter une vie. Et sa mère aurait probablement pensé comme elle.

Le retour au logis des nains parut bien plus long que l'aller. Elle était impatiente de raconter à ses compagnons ce qu'elle avait appris au sujet du miroir et de connaître leurs progrès. Par chance, Henri et elle s'étaient quelque peu rapprochés et s'étaient montrés plus diserts pendant leur chevauchée. Elle avait parlé de sa vie avec les nains tandis qu'il lui avait conté comment Georg l'avait sauvé et soigné. Apparemment, il avait obstinément refusé qu'Henri ne meure. Il l'avait réveillé toutes les heures pour lui faire boire de l'eau ou du bouillon, et avait parlé pendant des heures de l'enfance de Blanche pour le tenir éveillé.

— Je crois que j'en sais plus sur vos sept ans que vous-même !

— Croyez-vous donc ? s'amusa Blanche, soulagée qu'il ne puisse la voir rougir puisqu'elle était assise devant lui.

— À n'en pas douter ! Je sais que vos couleurs préférées étaient le bleu et le jaune. Vous étiez très douée à cache-cache.

Vous détestiez la bouillie froide. Et, l'anecdote que je préfère, vous aviez donné un nom à tous les chevaux des écuries royales *et* vous leur faisiez des tresses aussi souvent que possible.

Ses joues rosirent encore, puis elle éclata de rire. Elle avait complètement oublié cela !

— Vous inventez !

— D'après votre père, vous faisiez tourner la couturière royale en bourrique à force de lui demander des rubans pour les crinières des étalons !

— Et vous ? répliqua Blanche. Puisque vous en savez tellement à mon sujet, il ne serait que justice que vous me parliez de votre enfance.

Elle sentait les bras d'Henri autour de sa taille pendant que leur monture galopait entre les arbres.

— Si tel est votre désir, Altesse. Voyons voir… J'ai un jour trouvé une souris dans le château et j'ai voulu la garder comme animal de compagnie. Je la nourrissais tous les jours. Ma mère a failli s'évanouir en découvrant que je lui donnais du fromage, mais je ne pouvais pas abandonner ce bon vieux Croxley.

Blanche trouvait cette histoire attendrissante. Elle avait souvent réclamé un animal, mais sa mère lui avait toujours répondu qu'une volière remplie d'oiseaux était suffisante.

— Croxley ? Vous l'aviez baptisée Croxley ?

— Et pourquoi pas ? fit-il en feignant l'indignation. Ce n'est pas comme si je jouais à la poupée avec lui ou que j'avais essayé de lui apprendre à chanter. Mais c'est vrai que je n'étais pas le dernier pour m'attirer des ennuis. Un jour, Kristopher et moi avons cassé une fenêtre du château en nous battant à l'épée dans les couloirs. Nous avions… emprunté les armes des gardes pendant leur souper. Je ne sais pas qui s'est fait sermonner le plus fort, eux ou nous. Sans doute nous, à cause de la fenêtre. Mais cette fois, ma mère avait réussi à calmer un peu mon père.

— « Cette fois » ? Il y en a eu d'autres ? demanda Blanche, incrédule.

— Eh bien, quand j'avais dix ans, j'ai volé la couronne de mon père et j'ai essayé de la vendre au plus offrant, sur la place du marché, s'amusa Henri. J'ai dit à Père que j'en avais assez qu'il soit si occupé et que je voulais qu'il abandonne son trône pour que nous puissions jouer.

— *Non !* s'exclama Blanche en riant. Vous n'avez pas osé ?

— Il l'a bien pris. Relativement. Aucun de mes frères ne lui avait jamais joué un si mauvais tour. Ma mère disait que j'étais « turbulent ». Elle dit que j'ai toujours du caractère.

— Il n'y a pas de mal à cela, tempéra Blanche. J'aurais aimé faire preuve de plus de volonté, ces dernières années.

Henri se tut un moment.

— Vous ne pouviez pas le savoir. Vous n'avez rien à vous reprocher, Blanche.

— Je sais. Le passé est passé. La seule chose qui compte, désormais, c'est de savoir comment changer l'avenir.

— J'ai le sentiment que vous trouverez une solution.

Il avait raison. Elle le sentait, elle aussi. Au moment où ils arrivèrent à la chaumière des nains, elle était déjà en train d'élaborer une stratégie. Sa réunion avec les petits hommes fut festive. Ils étaient soulagés de voir que le couple princier était sain et sauf, de même que le roi. De leur côté, ils avaient réussi à discuter avec d'autres mineurs - leurs amis Kurt et Fritz -, qui leur avaient proposé de passer dans leur hameau pour exposer leur plan de révolte aux villageois. Mais Joyeux avait insisté pour qu'ils en parlent après le repas.

L'humeur était si légère que, dès qu'ils eurent fini de dîner, Timide et Dormeur sortirent leurs violons et se mirent à jouer. Blanche, qui n'avait pas dansé depuis des années, se leva d'un bond et rejoignit Simplet au centre du salon. Elle tournoya dans la petite pièce sans penser au lendemain. Lorsque Simplet fut trop épuisé pour continuer, Henri se leva et offrir sa main à la princesse. Blanche hésita un bref instant en entendant Grincheux soupirer bruyamment, mais accepta. Son cœur battait rapidement à la moindre pirouette. Elle osait à peine regarder Henri et sentait ses joues chauffer chaque fois que les yeux du jeune homme se posaient sur elle. Mais bientôt, elle s'abandonna complètement à la musique. Elle oublia sa nervosité et se laissa porter par l'air entraînant des nains. Puis, avant que les musiciens ne puissent entonner un autre air, Grincheux interrompit les festivités.

— Ça suffit ! Nous n'avons pas encore gagné ! Nous devons arrêter la reine, les harangua-t-il avant de se tourner vers Blanche et Henri : dites-nous ce que vous avez appris.

— Et comment va le roi Georg ? ajouta Timide.

Blanche sourit tendrement. Ses joues pâles luisaient à la lueur du feu.

— Il est en bonne santé, annonça-t-elle, ce qui eut pour effet de soulager les petits hommes. Quand je l'ai revu, j'ai eu l'impression que nous n'avions jamais été séparés. Et pourtant, tellement de temps a passé. Son royaume lui manque terriblement, mais il est maudit et ne peut plus y pénétrer.

Elle leur expliqua alors ce que son père lui avait révélé au sujet de la cruelle diablerie de la reine. Puis elle parla du miroir.

— Votre mère vous a montré où elle le cachait… en rêve ? résuma Prof en se grattant le menton. Intéressant.

— Pourquoi ? demanda Joyeux.

— C'est comme si elle essayait d'aider Blanche à récupérer ce qui lui revient de droit, même depuis l'autre côté.

C'était une belle idée. Blanche espérait que c'était vrai. Elle ne s'était jamais sentie aussi proche de sa mère que cette dernière semaine. Elle aurait donné n'importe quoi pour être à ses côtés. Si c'était sa manière de l'aider, alors elle l'acceptait bien volontiers. Elle se tourna vers Henri.

— Ils doivent aussi savoir pour ma mère.

Le prince acquiesça tristement.

Les hommes eurent le cœur brisé en apprenant que la Méchante Reine avait empoisonné Katherine. Cette découverte raviva leur désir de la renverser.

— Elle doit tirer sa magie noire du miroir, supposa Grincheux. Elle a l'air obsédée par cet objet. Si elle ne veut pas que Blanche s'en approche, c'est qu'il doit être très puissant.

— Tout ça a l'air dangereux, s'inquiéta Timide.

— On dirait qu'elle est possédée par ce miroir, ajouta Prof.

Possédée. Obsédée. Jalouse. Sa tante était tout cela, et plus encore. Le miroir semblait exacerber ses côtés les plus sombres, comme si…

— Prof, crois-tu qu'il soit possible qu'une personne ne fasse qu'un avec un objet ?

— Je vous demande pardon ?

— La Méchante Reine semble s'être complètement abandonnée au miroir. Peut-être est-ce lui qui lui dicte ses ordres.

— Ne vous laissez pas duper, la mit en garde Grincheux. Elle est responsable de ses actes !

— Bien sûr. Mais elle n'a pas agi seule. C'est peut-être pour cela qu'elle est aussi attachée au miroir. Elle ne peut pas agir sans lui. Elle tire ses pouvoirs de cet objet, mais c'est sans doute réciproque, conjectura Blanche. Si c'est bien le cas, alors l'un ne peut survivre sans l'autre.

Cela signifiait-il que s'ils détruisaient le miroir, la Méchante Reine périrait également ? Blanche avait encore du mal à accepter l'idée de monter sur le trône avec le sang de sa tante sur les mains. N'était-ce pas s'abaisser à son niveau ? Il y avait forcément une autre solution.

— Blanche a peut-être raison, confirma Henri. J'ai entendu des récits de mages et sorcières puissants capables de déposer des fragments de leur âme dans leurs biens les plus précieux.

— Nous devons voler le miroir, décréta Blanche. Nous nous en servirons de monnaie d'échange. La reine n'aura pas d'autre choix que de quitter le château et de laisser mon père revenir.

— On ne peut tolérer qu'un tel objet existe ! s'indigna Grincheux sur le même ton que le roi Georg. Il doit être détruit.

— Mais ça pourrait la tuer ! dit Joyeux.

— Et alors ? Pense à tous ceux qu'elle a essayé de tuer. Elle a voulu assassiner Blanche !

— Mais..., reprit Joyeux.

— Pour l'heure, concentrons nos efforts sur ce miroir, intervint Blanche. C'est la seule manière de la convaincre de libérer mon père de sa prison.

— Et comment allez-vous faire ? demanda Dormeur en bâillant. Vous comptez entrer dans le château et le décrocher simplement du mur ?

— Le miroir risque de sentir votre présence, avertit Grincheux.

— Je crois qu'il sait déjà que je suis en vie, acquiesça la princesse. Nous avons probablement très peu de temps devant nous.

— Alors nous devons agir vite, déclara Henri.

Blanche se tourna vers lui.

— « Nous » ?

— Vous ne pensiez quand même pas que j'allais rentrer chez moi ? répondit Henri en souriant. Mon peuple souhaite le départ de cette reine autant que le vôtre. Seulement ainsi nos royaumes pourront-ils être alliés de nouveau. Nous devons nous unir face à une telle menace. Permettez-moi de vous aider.

Blanche ne put s'empêcher de ressentir une grande fébrilité à l'idée qu'Henri soutienne sa cause.

— Merci, Henri. Nous aurons besoin de toute l'aide possible.

Elle se tourna vers les autres.

— Nous devons retrouver vos amis sans attendre et convaincre les villageois de se joindre à nous.

— Nous partirons à l'aube, décida Grincheux. Il n'y a plus une minute à perdre.

Blanche acquiesça.

— Demain matin, nous irons reconquérir le château.

Ingrid

Son périple nocturne avait été vain. Cette maudite fille n'était pas là.

En sortant de son donjon, Ingrid avait suivi un passage secret à bord d'une frêle embarcation. Elle avait ensuite traversé les bois à pied. Elle n'avait pas été seule. Le corbeau l'avait accompagnée et lui avait même montré le chemin. Le simulacre de corps qu'elle arborait rendait sa marche difficile, mais elle avait atteint sa destination aux premières lueurs du jour, comme prévu. Pourtant, la chaumière était vide.

Elle s'attendait à ce que les hommes soient absents. (D'ailleurs, elle était satisfaite qu'ils partent à la mine. Elle appréciait que les mineurs soient aussi consciencieux, surtout si elle pouvait en tirer tous les bénéfices.) Mais où était Blanche ? Pourquoi n'était-elle pas là ? Ingrid fit le tour de la maison, chassant les oiseaux pour tenter de regarder à travers les vitres. Elle s'étonna de voir des biches s'approcher aussi près d'une habitation pour paître. Elle les effraya et s'assit pour reposer sa carcasse fatiguée. Après une longue attente, elle s'impatienta et entra dans la chaumière.

L'intérieur était aussi propre que possible : il n'y avait pas une assiette qui traînait, pas une miette sur la longue table entourée de petites chaises. L'évier était vide, le sol impeccable, et les sept lits étaient parfaitement dressés. La sorcière redescendit les escaliers d'un pas mal assuré. Ses genoux craquaient. Elle se dirigea vers l'âtre. Des braises crépitaient encore doucement. Soudain, une idée chemina dans son esprit, et son cœur se serra : et si ces misérables nains se doutaient de son arrivée et avaient caché Blanche ?

Ingrid déposa son panier de pommes sur la table et poussa un hurlement inhumain à cette pensée. Sa voix était éraillée, usée. Si c'était le cas, alors son sortilège de déguisement n'avait servi à rien ! La princesse pouvait être n'importe où.

Sa peau encore est douce, son cœur encore bat. Si tu n'agis pas, notre avenir se déchirera.

Le miroir ? Ingrid écarquilla les yeux. Le miroir s'était-il éveillé ? Toute la rage qu'elle avait éprouvée à l'encontre de l'objet magique s'évanouit instantanément. Elle devait rentrer auprès de son compagnon et réparer les fissures qui étaient apparues après leur dernière rencontre. Comment avait-elle pu être sotte au point de s'en éloigner ? Elle saisit son panier et reprit la route vers le château, maudissant ses jambes fragiles.

Il lui fallut toute la journée pour regagner son antre. À la fin de son périple, elle ne tenait presque plus debout. Elle devait rassembler les ingrédients nécessaires au plus vite pour inverser ce satané sortilège. Elle se faufila dans le château jusqu'à ses appartements. Personne ne devait la voir sous cette apparence repoussante.

Elle clopina jusqu'au miroir et fit glisser ses doigts décharnés sur la vitre. Elle saisit la fiole de tonifiant qu'elle gardait précisément pour cette occasion et la vida sur la surface froide. Les lézardes se comblèrent quelque peu, mais le miroir n'était pas complètement réparé. Elle devrait retourner dans sa salle des potions pour concocter un nouveau breuvage régénérant, mais pour l'heure, cela suffisait : le miroir prit vie. Les couleurs de la glace passèrent du noir au vert avant que la fumée ne se dissipe pour révéler le sinistre masque. Si l'esclave remarqua la nouvelle apparence de la reine, il ne dit mot.

— Ma reine.

— Miroir, m'as-tu trompée ? Tu as dit que Blanche-Neige devait périr, et pourtant, elle vit et respire ! Et voilà qu'elle a disparu du logis des nains !

— Ma reine, tu as laissé passer ta chance de changer ton destin. Tu as laissé l'enfant grandir, ton avenir est incertain.

— Ce n'était qu'une enfant ! répliqua Ingrid, désespérée.

— À présent, c'est une femme. Elle est prête à brandir l'oriflamme, déclara le miroir. Tu aurais pu éviter ce destin infâme.

— Que dois-je faire ? l'implora Ingrid. J'ai préparé une puissante potion de dissimulation, j'ai créé une pomme empoisonnée dont une seule bouchée l'achèvera. Mais si je ne la trouve pas, tout cela aura été vain !

— Sa mort provoquerait l'émoi, et le peuple s'opposerait à toi. Pour qu'elle ne porte jamais le velours, tu dois t'en prendre à son amour.

Ainsi la fille s'était-elle éprise de ce garçon insipide ? Elle aurait dû se débarrasser de lui dès leur première rencontre. Ingrid poussa un cri bestial et déchirant. Elle ne s'étonna même pas de voir une fêlure se creuser dans la glace. Elle se calma aussitôt. Son cœur martelait sa poitrine. Ses mains étaient soudain lourdes et tremblantes. Dans son état fébrile, elle devait rester prudente et éviter les chutes. Elle s'appuya contre le mur et observa le coin le plus sombre de la pièce.

Katherine et son maître la dévisageaient. L'homme semblait furieux. Katherine, elle, était paisible. Satisfaite, même. Que savait-elle qu'Ingrid ignorait ?

— Son espoir pousse comme une rose parmi les orties. Retrouver son père lui a donné une nouvelle énergie.

Ingrid tâcha de rester calme en découvrant cette nouvelle information. Blanche avait trouvé le vieux roi ? Mais comment ? Elle observa tour à tour Katherine et son maître, qui continuaient tous deux de la toiser avec intérêt. Elle détourna rapidement le regard.

— Le chemin lui a été montré par le prince que tu as congédié. Une étincelle s'est rallumée, et une nouvelle voie s'est dessinée.

Ingrid devrait supporter son aspect de mendiante un peu plus longtemps. Si Blanche espérait accéder au miroir, cela signifiait qu'elle faisait route vers le château avec ce garçon. La reine devait gagner du temps.

— Montre-moi la fille, ordonna-t-elle au miroir.

La fumée se dissipa sur la surface froide et laissa apparaître Blanche-Neige et son beau prince, guidant le groupe de petits hommes à travers la forêt. Ils étaient près des mines. Ingrid sourit. Une idée s'esquissait doucement. Son plan était compliqué, d'autant plus dans son état actuel, mais elle ne pouvait se permettre d'échouer.

— Finalement, je pourrai peut-être réussir à l'enterrer vivante. Ainsi que son prince et les petits hommes !

Blanche

Blanche marchait vers le château et, pour changer, elle n'était pas seule. Pour la première fois de sa vie, elle était entourée d'amis. D'amis et d'un homme qui pourrait peut-être, un jour, devenir plus. Mais elle avait d'autres affaires plus urgentes à traiter pour l'instant.

— À quoi pensez-vous ? demanda Henri tandis qu'ils chevauchaient côte à côte dans la campagne.

Blanche abaissa sa capuche bleue.

— À bien trop de choses, admit-elle. Les pensées se bousculent.

Les nains avaient échangé quelques diamants de contrebande contre des chevaux pour qu'ils puissent tous gagner le village de Kurt et Fritz. Ils avaient dû récupérer leurs montures dans une ferme à plus d'une demi-journée de marche, mais ils avaient bien employé leur temps. Ils en avaient profité pour discuter avec les paysans – un homme appelé Moritz et son épouse, Lina – et leur dévoiler leurs plans. Lina avait même pleuré de soulagement en découvrant la princesse.

— Nous avons tellement besoin de vous, Votre Altesse. Plus que jamais !

Lina leur avait expliqué qu'il était devenu presque impossible de gagner sa vie en travaillant la terre. La reine exigeait une part toujours plus grande de leurs récoltes. Moins d'une heure plus tard, Moritz était revenu accompagné de plusieurs ouvriers de la région. Ensemble, Blanche, Henri et les nains leur avaient exposé la menace qui pesait sur eux. Les villageois avaient immédiatement accepté de réunir des armes de fortune en attendant l'ordre de partir à l'assaut du château. Blanche avait été si heureuse qu'elle en avait eu les larmes aux yeux.

Toutefois, ce détour imprévu signifiait qu'ils avaient maintenant une journée de retard. *La reine nous surveille peut-être*, songea Blanche en voyant un corbeau les survoler. Le temps jouait contre eux, et ils devaient se hâter de retrouver Kurt et Fritz pour recruter des renforts. Les nains avaient proposé qu'ils empruntent les routes les plus isolées pour ne pas attirer l'attention, mais un groupe de neuf voyageurs était forcément inhabituel. Aussi, Grincheux insista pour qu'ils ne s'éloignent pas de la route qui les menait chaque jour jusqu'à la mine.

— Au moins, si nous devons faire demi-tour, nous connaissons parfaitement le chemin, avait-il expliqué aux autres.

Ils chevauchaient depuis plusieurs heures maintenant et approchaient enfin des mines. Blanche n'était pas habituée à voyager autant et était exténuée. La nervosité n'aidait pas. Elle porta la main à sa poitrine et sentit le collier contre elle. Elle se demanda pourquoi sa mère l'avait conduite au miroir, dans son rêve. Voulait-elle que Blanche tue sa sœur ? Ou bien l'aidait-elle tout simplement à trouver un moyen de mettre tante Ingrid hors d'état de nuire ? Sans sa mère pour la conseiller, Blanche doutait de tout. Toutefois, une chose était sûre : sa mère avait toujours veillé à faire ce qui était bon pour le peuple. Elle aurait sans doute voulu que Blanche trouve une solution pour récupérer ce qui lui revenait de manière aussi pacifique que possible. Cela, Blanche en était persuadée. Bien sûr, quand il s'agissait de la Méchante Reine, les choses se déroulaient rarement comme prévu…

Blanche étudia le paysage délicatement vallonné. Depuis qu'ils avaient quitté les terres de Moritz et Lina, ils n'avaient pas croisé la moindre habitation ni le moindre voyageur. Ils avaient dépassé l'entrée de la mine des sept nains depuis plusieurs heures, mais Prof lui avait expliqué qu'il existait différents accès pour les mineurs provenant de différents villages. Blanche ne s'était pas doutée qu'il y avait autant de montagnes dans cette région du royaume. Comment tante Ingrid avait-elle pu faire croire que les filons de diamants étaient épuisés ?

— Tout va bien ? s'enquit Henri.

— Oui, mais il y a tellement à faire. Je me sens responsable de vous, de mon peuple. Je ne veux pas que quiconque soit blessé.

Henri lui adressa un sourire doux.

— Tout ira bien. Nous savons dans quoi nous nous lançons en vous suivant.

Et qu'en était-il du chasseur qui l'avait épargnée ? Blanche n'arrêtait pas de penser à lui. Avait-il donné sa vie pour sauver la sienne ? D'une certaine manière, ce n'aurait été que justice, compte tenu des actes de son père.

Blanche frissonna. Elle inspira profondément. Elle devait se concentrer. S'inquiéter ne lui servirait à rien.

— Bon, avançons pas à pas. Aujourd'hui, direction le village. Demain, nous recruterons des combattants. Avant que la reine n'essaye de nous arrêter.

— Je doute qu'elle quitte son palais pour vous retrouver, supposa Henri. Son miroir est au cœur d'une véritable forteresse. À mon avis, nous n'avons rien à craindre avant d'arriver aux portes.

— Fumée droit devant ! cria Prof en désignant un bosquet face à eux. Doit-on la contourner ?

— Non, suivez la route, répondit Grincheux. C'est simplement quelqu'un qui a établi un camp. Personne ne vit ici. Le village de Kurt est encore à plusieurs lieues, nous arrivons près de l'entrée des mines.

Henri et Blanche échangèrent un regard. Ils pensaient la même chose. Cette fumée ne paraissait pas normale. Elle ne s'élevait pas en une colonne droite ni en volutes. Chaque panache semblait gonfler et s'assombrir. Bientôt, la fumée s'étendit tout autour du bosquet, jusqu'à occulter le ciel.

— Je ne crois pas que ce soit de la fumée. On dirait... des nuages noirs, dit Joyeux. Je crois qu'une tempête se prépare.

Soudain, leurs chevaux devinrent nerveux. Celui de Prof se cabra et manqua de projeter le nain au sol. Le vent se leva. Les rafales arrachaient de larges branches qui filaient droit sur eux, comme pour désarçonner les cavaliers. Un arbre sembla étirer ses membres vers Blanche afin de l'attraper. La princesse se revit dans les Bois Hantés. Ce n'était pas normal.

— Nous devons nous abriter immédiatement ! s'écria-t-elle pour tenter de couvrir la rumeur du vent.

Mais il était trop tard.

Les nuages foncèrent vers eux comme une brume empoisonnée et les enveloppèrent complètement. Le ciel devint noir comme la nuit. Le vent hurlait et couvrait tous les éclats de voix. Un tonnerre assourdissant éclata, et la foudre s'abattit à quelques pas seulement de l'étalon de Timide. Les chevaux s'enfuirent dans toutes les directions. Celui de Simplet partit au galop si vite que le nain en perdit l'équilibre et ne fut retenu que par les étriers.

— Tiens bon ! hurla Henri.

Paniquée, Blanche regarda Simplet puis Henri. Elle décida de mettre pied à terre, sachant qu'elle serait plus efficace au sol. Les hommes en firent autant et aidèrent Simplet à se relever pendant que leurs montures disparaissaient dans l'obscurité. L'air était empli de débris et de poussière ; Blanche ne voyait même plus sa main tendue devant elle. La pluie s'abattait si violemment que chaque goutte était aussi lourde qu'un grêlon. Ils devaient se mettre à l'abri, mais où ?

— Dans les mines ! lança Grincheux entre deux coups de tonnerre. Par ici !

Blanche suivit le son de sa voix. Elle peinait à mettre un pied devant l'autre contre le vent. Elle chercha Henri du regard, mais ne vit personne. Elle continua donc à avancer vers la forme sombre que dessinait la montagne, espérant trouver l'entrée de la grotte.

La foudre frappa un arbre près d'elle. Ses grandes branches commencèrent à craquer et à tomber vers elle. Quelqu'un lui attrapa soudain le bras et la tira hors de danger avant qu'il ne soit trop tard.

— Henri ! s'exclama la princesse en se blottissant contre lui.

— L'entrée de la mine est par ici. Ne lâchez pas ma main !

— Ni vous la mienne ! répondit Blanche.

Ils avaient besoin l'un de l'autre pour trouver la caverne à tâtons dans cette obscurité menaçante. Elle entendait des cris et quelqu'un appeler son nom, mais le vent était trop fort pour qu'elle puisse ne serait-ce que tourner la tête. Elle avançait lentement, main dans la main avec Henri, vers l'ombre imposante qui se dressait devant eux. Blanche ramena sa cape au-dessus de leurs têtes pour les abriter de la pluie. Le déluge se fit plus fort encore et leur fouetta le dos. La foudre tombait de toutes parts tandis que Blanche et Henri progressaient lentement. Elle repéra alors l'entrée de la mine. Grincheux était déjà à l'intérieur.

— Par ici, s'écria-t-il.

Ils avancèrent difficilement jusqu'à enfin réussir à se mettre à couvert. Blanche s'adossa à la paroi de la grotte, soulagée. Elle s'essuya le front et observa autour d'elle. Prof, Joyeux et Simplet étaient là aussi. Deux secondes plus tard, Timide, Atchoum et Dormeur les rejoignirent.

— Dieu merci, vous êtes tous là, se réjouit Blanche.

Il y eut un autre éclair. Un arbre fut déraciné et tomba devant l'entrée de la mine. Tous les rescapés sursautèrent.

— Sorcellerie ! déclara Grincheux. Cette tempête n'est pas naturelle.

— C'est la reine ! Elle nous poursuit ! s'inquiéta Timide.

Blanche craignait qu'ils aient raison.

— Éloignons-nous de l'entrée. Ce n'est pas sûr.

Grincheux décrocha une lanterne et l'alluma d'une main tremblante.

— Suivez-moi, dit-il à l'assemblée, qui s'enfonça dans la mine.

Chaque nain attrapa une torche au passage. Dehors, la tempête faisait rage. Tous sentaient qu'elle pourrait s'engouffrer dans la grotte à tout instant.

— Dépêchons, dépêchons ! les exhorta Grincheux.

Blanche et Henri prirent à leur tour une lanterne et se hâtèrent derrière les nains. L'air était de plus en plus froid. La jeune femme sentait sa respiration accélérer dans l'obscurité pendant que Grincheux donnait ses consignes à la cantonade. Il y avait tellement d'embranchements que Blanche avait peur d'être séparée de ses compagnons.

— Nous attendrons la fin de la tempête ici, déclara Grincheux alors qu'ils débouchaient dans une galerie où des chariots remplis de diamants étincelaient dans la pénombre.

Des pioches et des caisses étaient éparpillées, comme si les mineurs s'étaient enfuis précipitamment la veille. Plusieurs tables avaient été alignées le long de l'une des parois. C'était visiblement là que les joyaux étaient nettoyés avant d'être placés dans les chariots. L'espace était humide et sombre. La condensation coulait le long des murs, et des stalactites pendaient comme des dagues. Blanche aurait pu trouver l'endroit fascinant si elle n'avait pas été aussi préoccupée par la menace à l'extérieur. Sa tante était-elle vraiment derrière tout cela ? Elle entendait encore le vent siffler à l'entrée de la grotte comme s'il voulait les suivre au fond du gisement. Blanche et Henri s'assirent sur des caisses à la sortie du tunnel et déposèrent leur lanterne au sol.

Depuis l'autre bout de la salle, Prof adressa un sourire rassurant à la princesse :

— Nous sommes en sécurité, ici…

Ce fut la dernière chose que Blanche entendit avant que le sol ne se mette à trembler. Des rochers tombèrent du plafond. Henri et elle se jetèrent dans le tunnel pour éviter d'être assommés par les gravats.

— Effondrement ! cria quelqu'un.

— Tous contre les murs, vite ! conseilla Grincheux, dont la voix semblait étouffée.

Blanche et Henri se tapirent contre la paroi et s'accroupirent, les mains sur la tête, en attendant que la pluie de débris cesse. Ils peinaient à respirer.

C'est donc ici que je meurs, songea Blanche alors que le monde autour d'elle sombrait dans l'obscurité totale. *La Méchante Reine a enfin exaucé ses vœux.*

Ingrid

Ingrid s'éloigna du miroir. Ses dernières forces la quittaient. Elle avait donné sa lymphe au miroir et, dans ce corps sénescent, l'entreprise lui avait paru éprouvante. La migraine surgit instantanément. Ses mains décrépites tremblaient comme jamais. Mais cela en avait valu la peine. Le miroir lui avait donné la puissance nécessaire pour qu'elle invoque une tempête. C'était une tourmente comme aucune autre, destinée à poursuivre la fille. Et le stratagème avait fonctionné à merveille.

Qui plus est, le moment avait été parfaitement choisi. Quand la tempête les avait frappés, Blanche, son prince inepte et les petits hommes n'avaient eu d'autre choix que de se réfugier dans la caverne. Ingrid en avait profité pour déchaîner la foudre devant l'entrée jusqu'à ce que celle-ci s'effondre. La fille avait finalement été enterrée vivante.

Elle caqueta triomphalement avant que la migraine ne devienne insupportable. Elle s'écroula alors au sol. Elle n'avait plus la force de se traîner jusqu'à sa chambre.

— Miroir magique au mur, qui a beauté parfaite et pure ? parvint-elle à murmurer.

Katherine se matérialisa dans un coin de la pièce, mais cette fois, elle ne semblait pas amusée.

Qu'elle vienne, se dit Ingrid en luttant pour garder les yeux ouverts. Elle était si lasse. *Cette fois, j'ai gagné.*

Le miroir lui répondit :

— Lèvres rouges comme la rose, cheveux noirs comme l'ébène, teint blanc comme la neige. Tout le monde saura bientôt que vit encore Blanche-Neige.

— Non ! voulut crier Ingrid, mais sa voix refusait désormais de lui obéir, tout comme ses membres.

Sous le regard de Katherine, Ingrid succomba à la douleur et plongea dans un profond sommeil sur la pierre froide.

Blanche

Lorsque les éboulements cessèrent enfin, seul un silence de mort parvint aux oreilles de Blanche.

— Henri ?

La princesse appelait désespérément son compagnon, entre deux quintes de toux. La poussière retombait lentement. Elle sentait une douleur lancinante dans son épaule droite, mais elle était en vie.

— Blanche ? toussa Henri en retour.

Il s'avança d'un pas chancelant vers elle. Il était blessé au front. Il s'effondra dans ses bras, et ils restèrent blottis l'un contre l'autre un moment.

Nous sommes vivants ! Merci, Mère, songea Blanche avant de voir le mur de roche devant elle.

Henri se redressa et entreprit d'extirper les pierres une à une, mais il se retrouva bientôt bloqué. Il essaya une approche différente en poussant de toutes ses forces un gigantesque roc. En vain. Essoufflé, il se laissa glisser le long du mur.

Ils étaient piégés.

— Grincheux ? héla Blanche en scrutant frénétiquement l'obscurité. Prof ? Dormeur ? Atchoum ? Timide ?

Sa voix se faisait de plus en plus alarmée. Elle trébuchait sur les pierres invisibles à ses pieds.

Soudain, un vif éclat illumina le mur opposé. Par chance, Henri avait encore sa lanterne. Il éclairait l'extrémité de la galerie dans laquelle ils se trouvaient, mais tout le reste de la mine était plongé dans le noir.

— Où sont-ils ? s'inquiéta Blanche, qui essayait de se convaincre que les murs ne se refermaient pas sur elle. Simplet ? Simplet, où es-tu ?

Mais bien sûr, Simplet ne répondit pas. Il ne savait pas parler, pour autant que Blanche le sache.

Les petits hommes avaient disparu. Henri et elle étaient prisonniers d'un tunnel obscur. L'entrée de la grotte se trouvait de l'autre côté d'un impénétrable mur de roche. Son père ignorait totalement où elle se trouvait et ne saurait jamais où avait disparu sa fille. Elle inspira fébrilement, faisant de son mieux pour ne pas se laisser submerger par la peur.

Henri la reprit dans ses bras.

— Tout ira bien, Blanche.

— Nous ne connaissons pas ces tunnels. Nous devons impérativement trouver un moyen de les retrouver.

Ils tâtèrent ensemble les éboulis dans l'espoir de trouver quelques pierres à déloger et de se frayer un chemin de l'autre côté.

Henri fut secoué d'un nouvel accès de toux, plus violent, cette fois.

— Henri, s'il vous plaît... Asseyez-vous. Je vais continuer à chercher, mais vous devez vous reposer.

— Si nous ne pouvons pas sortir... Au moins, ma vie n'aura pas été vaine, déclara-t-il doucement.

Elle observa son visage faiblement illuminé par la torche.

— Que voulez-vous dire ?

— Lorsque Kristopher est mort, j'ai ressenti le poids de son absence sur mes épaules, comme s'il m'incombait de prendre sa place dans la famille. Pourtant, quoi que je fasse, je n'ai jamais réussi à sortir de son ombre, sourit-il tristement. Entreprendre ce voyage avec vous, vous aider à changer ce royaume, a donné un sens à ma vie. Je voulais que vous le sachiez, si c'est ici que je dois mourir.

— Henri...

Blanche était si bouleversée qu'elle ne s'était même pas rendu compte qu'elle avait passé ses bras autour de son cou. Le prince la tenait par la taille. Elle était si proche de lui qu'elle voyait la poussière dans ses cheveux, la suie sur ses joues. Et pourtant, il ne lui avait jamais paru aussi beau.

Henri essuya les larmes qui coulaient sur les joues de la jeune femme. Ses lèvres n'étaient qu'à quelques centimètres des siennes. Elle ferma les yeux, attendant un baiser de son prince. Au lieu de cela, elle entendit un cliquetis. Ils s'éloignèrent tous les deux en sursautant.

Le cliquetis s'intensifia jusqu'à ce qu'un rocher dans le mur se mette à trembler. Enfin, un trou s'ouvrit, laissant filtrer un rai de lumière. Un demi-visage apparut.

— Simplet ! s'écria Blanche en passant la main par le trou pour le toucher.

Le nain disparut aussitôt et fut remplacé par la trogne renfrognée de Grincheux.

— Vous allez bien, princesse ? Et Henrich ?

— Tout va bien ! s'exclama Blanche, soulagée. Et de votre côté ?

— Tout le monde est secoué, mais en vie. Nous avons eu de la chance que Simplet attrape sa pioche quand le ciel nous est tombé sur la tête. C'est le seul outil que nous avons pu trouver. L'entrée de la grotte est bouchée. Ça va nous prendre un moment pour creuser un chemin. Mais Henrich et vous devriez pouvoir rejoindre une autre sortie.

— Une autre sortie ? répéta Henri, qui s'était approché pour écouter Grincheux.

— Bien sûr ! Vous ne croyiez quand même pas que les mineurs s'enfonceraient dans les entrailles de la terre sans prévoir de sorties de secours ? Suivez le chemin jusqu'au lac. Là, vous verrez un tunnel de lumière qui vous conduira de l'autre côté de la montagne.

— Et vous ? demanda Blanche.

— Le tunnel est scellé. Ça nous prendrait plus de temps de creuser vers vous que de creuser vers l'entrée. Sortez d'ici, nous vous retrouverons. Allez voir Fritz et Kurt au village. Une fois sortis, vous ne serez plus très loin.

Blanche passa la main pour prendre celle de Grincheux. Elle n'avait aucune envie de les abandonner.

— Tu en es sûr ?

— Oui ! s'agaça Grincheux. Maintenant, partez ! Avant que la Méchante Reine ne provoque un autre éboulement. Et ce prince a intérêt à bien s'occuper de vous.

— Je n'y manquerai pas, jura Henri. Je le promets. Bonne chance, les amis.

— Bonne chance, répétèrent Blanche et Grincheux avant de se lâcher.

Henri leva sa lanterne et offrit sa main libre à la princesse. Elle la prit et, ensemble, ils cherchèrent de nouveau la lumière.

Ingrid

Lorsqu'elle reprit enfin connaissance sur le sol froid, Ingrid poussa un tel hurlement qu'elle crut avoir réveillé tout le château.

Tant pis pour eux. Les serviteurs pouvaient bien être éveillés au milieu de la nuit. Elle ne dormait pas, elle. Elle ne dormirait pas, elle ne s'arrêterait pas, elle ne connaîtrait pas le repos tant que la fille vivrait.

Elle prit appui sur ses bras veineux et se redressa lentement. Katherine était toujours là, attentive. De même que le miroir. Il s'illumina et montra l'image de la fille cheminant avec le prince dans un halo de lumière entouré d'obscurité.

Pendant que tu dormais, la plus belle et son prince ont trouvé une sortie. Rassemble tes forces, ou ton avenir sera compromis.

Les paroles du miroir eurent pour seul effet de lui donner envie de crier plus fort encore. Mais cette fois, seule une toux grasse sortit de sa gorge.

Elle n'arrivait pas à y croire. Elle avait donné ses dernières forces au miroir, et la fille était toujours en vie ? Comment avait-elle pu réchapper à cette tempête biblique et à cet éboulement monstrueux ? Et pourtant, la fille s'affichait là, sur son miroir, perçant l'obscurité du tunnel en tenant la main du prince. Où étaient les petits hommes ? Avaient-ils péri ? Elle ne les voyait pas. Tant mieux. Au moins, sa tempête n'avait pas été vaine. Blanche et l'homme semblaient inquiets.

— Fais-moi entendre ce qu'ils disent ! croassa Ingrid au miroir, même si elle savait déjà ce qu'il lui répondrait.

— Ma reine, cela je ne peux pas, mais ses intentions sont aussi claires que sa foi. Elle se dressera contre toi.

— C'est ce que tu n'arrêtes pas de répéter, mais ça ne me dit pas comment l'arrêter !

De rage, Ingrid balaya plusieurs potions sur la table. Katherine s'approcha. Son maître apparut aussi. Ils l'observaient tous deux faire les cent pas. Ingrid regarda le miroir à travers le fantôme de sa sœur. Elle devait contrôler sa colère et réfléchir.

La glace était toujours enveloppée de fumée. Le masque était solennel.

— À mon aide, ton cœur et ton esprit ont résisté. Mes pouvoirs ont des limites, tu aurais dû m'écouter.

— Assez ! hurla Ingrid.

La fille ne lui prendrait pas sa couronne. La reine leva le bras, prête à détruire d'autres fioles, mais elle s'interrompit.

— La pluie et le vent n'ont pas eu raison de la princesse, mais je sais ce qui pourra la décourager.

Un sourire mauvais se dessina sur ses lèvres fripées. Elle ignorait presque tout de la pitoyable petite vie de Blanche, mais ce qu'elle en savait lui suffirait sans doute. Elle sortit précipitamment de son donjon et remonta à sa chambre. Elle entrouvrit sa porte et apostropha un soldat en prenant soin de cacher son visage sous sa capuche.

— Garde ! J'ai un décret royal à promulguer sur-le-champ !

— Oui, ma reine, répondit l'homme, perplexe.

La voix de la reine paraissait différente, mais il n'osa pas la questionner.

— Convoque mes conseillers et dis-leur d'annoncer la nouvelle immédiatement. La princesse n'a pas disparu. Elle est en fuite. C'est une couarde, comme son père.

Le garde écarquilla les yeux.

— Dis-leur de publier un décret stipulant que cette traîtresse et quiconque lui prête allégeance le paieront de leur vie.

Ingrid sourit.

— Et qu'on offre une récompense à celui qui me les amènera, elle et ses compagnons.

Blanche

Quand Blanche et Henrich avaient enfin émergé de la mine, la tempête était terminée. L'air était empli d'un bon parfum de pin. Leurs chevaux – s'ils étaient restés, ce dont la princesse doutait fortement – se trouvaient de l'autre côté de la montagne ; ils avaient donc dû atteindre le village de Kurt et Fritz à pied. Sans victuailles, la route avait semblé particulièrement longue. Mais alors que le soleil descendait derrière les sommets, ils aperçurent de la fumée. Cette fois, elle ne présageait rien d'apocalyptique. Elle s'élevait d'une simple cheminée.

— Nous y sommes, déclara Henri, clairement soulagé, en désignant une rangée de chalets par-delà la colline. Espérons que les amis de nos amis ont le sens de l'hospitalité. Nous avons besoin d'eau.

— Je n'en doute pas une seconde, répondit Blanche en cueillant un petit bouquet de fleurs sauvages.

— Que faites-vous ? s'étonna Henri.

— J'apporte un présent. Il est malvenu d'arriver les mains vides. Nous avons perdu nos réserves de viande séchée, mais un bouquet fait toujours plaisir.

Elle regroupa des fleurs pourpres qu'elle fit humer à Henri. Le prince inspira profondément et leva les yeux vers sa compagne d'un air surpris.

— Elles sentent divinement bon.

Ils échangèrent un long regard interdit. Blanche sentit une fois de plus ses joues s'empourprer. Les battements de son cœur semblaient s'accélérer quand elle se tenait près de lui.

— Vous, là ! héla soudain une voix.

Ils se tournèrent et virent un homme guider un âne chargé de paquetages au sommet de la colline.

— Vous cherchez quelqu'un ?

— Oui, répondit Blanche en s'approchant de lui. Nous venons voir Kurt et Fritz. Ils nous attendent.

— Je suis Kurt.

Il n'était pas aussi petit que les nains, mais il était néanmoins trapu. Il avait de nombreuses taches de rousseur sur les ailes du nez, et la chevelure d'un roux éclatant.

— Où sont Grincheux, Prof et les autres ?

— Malheureusement, il n'y a que nous. Je suis Blanche-Neige, annonça la jeune femme en offrant son bouquet.

— Vous êtes la princesse ?

Blanche hocha la tête. Elle comprenait la méfiance de l'homme, au vu de leur apparence. Henri était blessé au front, et ils étaient tous les deux couverts de poussière. Ils ne ressemblaient certainement pas à un couple princier.

— Pourquoi les hommes ne sont-ils pas avec vous ? interrogea Kurt. Ils ont dit que vous voyageriez ensemble.

Blanche plissa le front. Comment pouvait-elle lui expliquer la situation sans l'effrayer ?

— Ils ont été retenus, mais ils nous ont donné leur bénédiction pour venir vous trouver.

Kurt réfléchit un instant.

— Où sont vos chevaux ?

Henri et Blanche échangèrent encore un regard. Aucun des deux ne voulait expliquer en détail ce qu'ils venaient de traverser.

— Ils se sont enfuis, expliqua Henri.

À ce moment, un grondement de tonnerre éclata au loin. Henri et Blanche sursautèrent et se jetèrent un nouveau coup d'œil avec une pointe d'inquiétude. Une seconde tempête se préparait-elle ?

— Malheureusement, le temps nous est compté. Pouvons-nous discuter ?

Kurt les dévisagea, puis acquiesça.

— Suivez-moi.

L'homme ne semblait pas particulièrement loquace, Blanche se retint donc de faire la discussion. Sans un mot, Henri et elle le suivirent jusqu'au village. Ce n'était rien de plus qu'un hameau constitué de quelques chaumières qui avaient vu des jours meilleurs et d'une unique ferme légèrement à l'écart. En passant devant les habitations, Blanche remarqua que des visages les observaient par les fenêtres ou les portes entrouvertes. Elle ne savait pas vraiment comment réagir et décida de simplement sourire. Mais les faces s'enfoncèrent alors dans l'ombre. Elle n'était pas étonnée. C'était une attitude qu'elle avait elle-même employée plus d'une fois, surtout quand elle était mal à l'aise. Mais, désormais, les choses étaient différentes. Elle devait être un exemple pour guider son peuple. Pour guider ce village. Encore fallait-il que les habitants l'acceptent.

Kurt se tourna vers eux :

— Je vais rassembler les autres. Je vous retrouve dans la grange, là-bas, dit-il en désignant la ferme isolée, puis son visage se durcit. C'est le seul endroit suffisamment grand pour que nous puissions nous regrouper discrètement. Les gardes de la Méchante Reine ont brûlé les deux autres fermes de la région parce que nous n'avions pas réussi à produire assez de récoltes pour le palais.

— J'en suis désolée.

L'homme détourna les yeux.

— Nous faisons tout pour l'éviter, désormais.

Un nouveau coup de tonnerre résonna. Kurt désigna encore la bâtisse.

— Allez-y avant d'être repérés. Elle a des yeux partout. Et le temps a été capricieux, aujourd'hui. C'est le moins que l'on puisse dire.

— Oui, nous avons remarqué, répliqua aussitôt Blanche sans réfléchir.

Kurt attendit la suite, mais la princesse n'ajouta rien.

— Merci pour votre hospitalité. Nous vous attendrons dans la grange, conclut Henri.

Le prince rabattit sa capuche sur son visage. Blanche en fit autant.

Le ciel se montra clément jusqu'à ce qu'ils se mettent à l'abri. Dans un coin de la grange, quelques vaches broutaient calmement, sans vraiment se soucier de l'arrivée d'un nouvel orage. Plusieurs chevaux battaient nerveusement des sabots dans leurs stalles remplies de foin. Il y avait aussi un poulailler, où les gelines caquetaient paisiblement. Juste à côté se trouvait une grande cruche d'eau. Blanche et Henri se dirigèrent tout droit vers celle-ci et remplirent deux petites coupes en acier posées sur une étagère. Ils étanchèrent leur soif et se laissèrent ensuite tomber sur des balles de foin. Le tonnerre gronda. Bientôt, ils entendirent une pluie légère marteler le toit.

Le temps passait lentement. Blanche sentait ses paupières se faire lourdes. Elle voulait rester sur ses gardes, mais la fatigue de la journée la rattrapa. Lorsqu'elle rouvrit les yeux un peu plus tard, elle se rendit compte que sa tête était posée sur l'épaule d'Henri. Elle se redressa. Le prince s'éveilla à son tour.

— Bonjour, sourit-il.

— Bonjour. Nous nous sommes endormis.

— On dirait bien.

Henri regarda autour d'eux. La pluie battait toujours et la grange était sombre. Le soir était tombé.

— Et nous sommes toujours seuls.

Blanche fronça les sourcils.

— Où peuvent-ils bien être ?

— Je n'en ai aucune idée, fit le prince en se levant pour aller vers la porte.

Au même moment, un groupe pénétra dans la grange à la suite de Kurt. Il devait y avoir une dizaine d'hommes et de femmes, tous munis de lanternes. Quelques enfants se cachaient dans les jupons de leur mère. Tous les yeux se braquèrent sur Blanche et Henri.

La princesse se leva pour les accueillir.

— Bonsoir. Et merci. Merci d'être venus.

Kurt tendit une main.

— Voici la princesse. Et... ?

— Je m'appelle Henrich. Je suis son compagnon de voyage.

— Nous pensions que Grincheux et ses hommes étaient les compagnons de voyage de la princesse, intervint une autre personne.

Cet homme était râblé comme Kurt, mais il avait une chevelure noire de jais et une longue barbe. Blanche se dit qu'il devait s'agir de Fritz. La lueur des lanternes dans la pénombre de la grange éclairait son visage. Il paraissait irrité. Blanche avança d'un pas.

— C'est vrai. Malheureusement, nous avons été séparés durant la tempête. Ils nous ont demandé de continuer sans eux. Nous les retrouverons près du château.

Fritz ne répondit pas.

Une femme se précipita alors vers la princesse, un bébé dans les bras, et lui tendit des couvertures.

— Tenez, Votre Altesse. C'est pour vous. Votre voyage a dû vous épuiser.

— Je vous remercie de votre attention. Nous vous sommes reconnaissants de nous héberger dans cette grange et d'être venus nous rencontrer. Je sais que Grincheux et les autres ne sont pas avec nous ce soir, mais il est important que je vous parle de la reine.

Les villageois restèrent silencieux. Elle décida de continuer.

— Je sais que les temps ont été difficiles. Mais je n'en ai saisi l'ampleur que lorsque je me suis enfuie du palais. Depuis, j'ai beaucoup appris sur les agissements de la reine et j'ai compris. J'ai compris que je devais prendre ma place sur le trône.

Toujours aucune réponse.

— Et pour cela, j'ai besoin de votre aide.

— De notre aide ? répéta Fritz.

Henri pressa la main de la princesse pour l'encourager.

— Oui. Je suis prête à guider mon peuple. La reine Ingrid ne devait occuper le trône que le temps que j'aie l'âge de régner, mais je doute qu'elle accepte d'être découronnée. Nous devons être unis pour la chasser du château et reprendre le royaume en main.

Fritz fit un pas vers elle.

— Vous voulez qu'on risque notre vie pour sauver la vôtre ?

— Non, ce n'est pas ce que…

— Vous voulez qu'on vous suive, alors que vous n'avez jamais guidé qui que ce soit ? la coupa Kurt. Et si vous étiez comme votre père ?

— J'espère bien être comme lui, affirma Blanche. C'était un grand roi.

Les villageois se mirent à rire, empêchant la princesse de s'expliquer. La foule s'approcha encore. Blanche se rendit compte qu'Henri et elle étaient encerclés. Un nourrisson pleurait, ses cris presque couverts par l'orage.

— Bon peuple, intervint Henri. C'est la princesse qui se tient devant vous. Vous lui devez le respect.

— Le respect ? demanda un homme. Comme celui qu'elle a pour nous ? Elle a abandonné son royaume. Elle ne veut pas nous aider !

— C'est faux ! protesta Blanche.

L'homme tira un couteau. Henri attira la princesse contre lui.

— Menteuse ! Vous débarquez ici sans les nains, à pied, entre deux tempêtes… C'est peut-être *vous* qui nous avez maudits ! Où sont les nains ? Que leur avez-vous fait ?

— Ils sont en sécurité, assura Henri.

— Alors pourquoi ne sont-ils pas là ? questionna Fritz.

Kurt tira un parchemin qu'il gardait dans son dos. Il le déroula sous les yeux ébahis de la princesse. C'était une peinture d'elle. Au-dessus de sa tête, un mot : « RECHERCHÉE ».

— Votre tête est mise à prix, princesse. Vous avez abandonné votre peuple, fait disparaître nos amis et refusé la couronne. Nous allons vous conduire devant la reine avant qu'elle ne mette tout le royaume à sac pour vous retrouver. Ces orages ne sont pas un hasard. C'est parce que vous êtes venue dans notre village !

— Laissez-moi vous expliquer, s'alarma Blanche alors que l'attroupement se resserrait. C'est la reine qui vous ment !

— La reine est la souveraine de ce royaume ! tonitrua Fritz. Et c'est à cause de votre père. Ne savez-vous pas qu'elle pratique la magie noire ? Si nous vous laissons fuir, elle nous tuera tous. Saisissez-les !

— S'il vous plaît ! Attendez ! s'écria Blanche alors que les villageois les plus proches les attrapaient par les bras.

Henri essaya de se libérer.

— Lâchez-la !

Son précieux couteau tomba de son étui dans la paille. Fritz le ramassa et le brandit contre lui.

— Je suis vraiment désolée, pleura la femme qui avait donné les couvertures. Nous n'avons pas le choix. La reine est sans merci. Nous devons vous arrêter.

— Et nous serons richement récompensés, ajouta Kurt.

Blanche sentait que tout cela finirait mal. Elle profita d'un éclair qui illumina l'intérieur de la grange par les nombreuses fissures pour chercher une issue. Certains villageois criaient, d'autres – avec les femmes – essayaient de leur faire entendre raison, en vain. Blanche était prise de vertiges. *Mère, aide-moi*, pria-t-elle tandis que le bébé pleurait plus fort dans les bras de sa mère.

Puis elle eut une révélation, au milieu du chaos et des injures. *Ils ont peur. Ils ne veulent pas nous faire du mal. Ils se sentent piégés.* Ces gens-là n'étaient pas mauvais. C'était son peuple. Blanche repensa à la mendiante qu'elle avait croisée avec sa mère, bien des années auparavant. « Souviens-toi toujours d'où tu viens, Blanche. Sers-t'en pour décider de ton avenir », lui avait dit sa mère.

— Je vous en prie ! tenta-t-elle encore. Laissez Henrich partir, et je vous laisserai me conduire à la reine. Je ne souhaite de mal à personne.

— Blanche, non ! commença Henri avant que la princesse ne lui impose le silence.

Elle se tourna vers Kurt, dont le teint pâle fut brièvement illuminé par un éclair.

— Tout ce que je vous demande, c'est de m'écouter, supplia-t-elle.

— Non ! Si c'est encore pour proférer un ramassis de mensonges…

— Laissez-la parler ! vociféra soudain quelqu'un.

Tout le monde se retourna. Une silhouette fendit la foule en abaissant sa lourde capuche. Elle dévoila un visage au teint cuivré, de longs cheveux bruns bouclés et de grands yeux noisette.

Blanche eut un hoquet de surprise.

— Anne ?

La fille sourit.

— Vous connaissez donc mon nom ?

— Bien sûr. Vous êtes la fille de la couturière royale.

— N'écoute pas ses mensonges, Anne, dit Fritz.

Mais la jeune femme l'interrompit d'un regard.

— Je connais la princesse depuis que je suis toute petite. Je peux vous garantir qu'elle n'est pas malfaisante. Elle est seule, oui. La reine ne laissait personne à son service. Elle a été abandonnée, comme nous autres. Si elle dit qu'elle veut aider son royaume, alors moi, je la crois.

Les yeux de Blanche s'emplirent de larmes de gratitude. Elle avait longtemps observé cette fille, et il s'avérait qu'Anne en avait fait autant.

— Merci, murmura la princesse.

— Messieurs, vous pouvez bien accorder un instant à la princesse avant de la livrer à la reine pour récupérer votre prime ?

À ces mots, Kurt, Fritz et les autres baissèrent la tête de honte. Les femmes étaient clairement mécontentes du comportement de leurs époux. Blanche se sentit revigorée par la foi d'Anne.

— Je suis en fuite, c'est vrai. Mais pas parce que je vous ai abandonnés, expliqua-t-elle. La reine a voulu me faire tuer, pour que je ne puisse jamais menacer sa couronne.

La grange était plongée dans un épais silence, rythmé uniquement par le bruit de la pluie.

— Je me suis enfuie et j'ai organisé mon retour au château avec l'aide de Grincheux et de ses hommes, ainsi que d'Henri. Au lieu de me cacher, j'ai choisi de me battre pour ma liberté. Et la vôtre. Cela fait trop longtemps que nous vivons sous le joug de la reine Ingrid. Elle ne se soucie que d'elle et n'a que faire de son peuple.

— C'est vrai, chuchota l'un des hommes.

— Elle se moque que vous travailliez nuit et jour, par tous les temps, pour lui livrer vos récoltes. Elle vous prélève des impôts exorbitants et ne donne rien en retour. Mes parents m'ont appris que le château devait être ouvert à ceux qui en ont besoin. Autrefois, si vous aviez un problème, le roi et la reine tenaient à le savoir. Si vous aviez besoin de joie, il y avait toujours une fête pour célébrer la bonne fortune de notre royaume.

— C'est vrai, je m'en souviens.

La femme au bébé berçait son enfant pour le calmer. Le tonnerre grondait encore, et la voix de la mère n'était qu'un murmure. Blanche dut tendre l'oreille.

— La reine Katherine a toujours été bienveillante avec ses sujets. Elle avait des mots réconfortants pour tout le monde. Elle m'a offert une fleur quand j'étais petite. Elle était très douce.

— Oui, c'est vrai, se détendit Blanche. Mais pas notre nouvelle reine. Elle a accaparé les richesses du royaume et a détruit nos bonnes relations avec nos voisins. Pour que notre royaume survive, son règne doit s'achever.

— Et comment comptez-vous vous y prendre ? demanda Kurt, peu convaincu par la princesse. Vous n'êtes encore qu'une jeune femme, et vous êtes seule.

— Je ne suis peut-être qu'une jeune femme, mais j'ai des amis. Et cela change tout. Grincheux et les autres font route vers le château, à l'heure où nous parlons. Notre plan est qu'ils distraient les gardes pendant que je pénètre dans le château et que je m'occupe de la reine. Nous ne sommes peut-être pas nombreux, mais nos cœurs sont purs. Nous ferons tout ce qui est en notre pouvoir pour redresser le royaume.

Fritz était pensif. Il jeta un coup d'œil à ses compagnons.

— Peu importe. Elle a mis votre tête à prix. Vous n'irez pas loin.

Blanche se décomposa. Elle ne pouvait nier que le décret de la reine allait rendre sa quête plus compliquée encore. Tout le monde la chercherait, désormais. Comment pourrait-elle traverser le bourg sans être remarquée ?

— Personne ne peut entrer dans le château, dit un autre. Personne.

— Vous oubliez que j'y ai vécu, reprit Blanche. Je connais tous les secrets du palais. Je peux me frayer un chemin à l'abri des regards… si vous m'en laissez la chance. Si vous combattez à mes côtés. Je ne l'oublierai pas. Je vous promets que si vous m'aidez, je ne vous abandonnerai pas.

Kurt se tourna vers sa femme.

— Laisse-la essayer, Kurt, dit-elle. Elle est notre avenir.

« Notre avenir. » Blanche sourit. Sa mère aurait apprécié cette femme.

— Aidez-moi à reprendre ce qui nous appartient. Qui est avec moi ?

Personne ne répondit.

— Moi, fit soudain Anne, avec un léger sourire.

— Toute aide est la bienvenue, rayonna Blanche. Merci, Anne.

— Nous ne pouvons pas laisser cette reine continuer de détruire notre vie.

— Qu'en penserait ta mère, Anne ? demanda un homme.

— Elle nous ôte le pain de la bouche. Je suis prête à prendre tous les risques. Et je crois que ma mère serait d'accord.

Fritz s'approcha, le couteau d'Henri toujours à la main. Il s'en servit pour couper les liens qui serraient les poignets du prince. Henri se hâta de libérer Blanche également.

— Je vous aiderai, annonça finalement Fritz en s'agenouillant.

— Moi aussi, concéda Kurt, qui s'inclina à son tour devant la princesse.

Plusieurs hommes les imitèrent. Blanche rit sous ses larmes.

— Je vous en prie, relevez-vous ! Nous avons fort à faire. Je ne vous remercierai jamais assez de m'avoir accordé votre confiance.

Tous les villageois poussèrent des cris d'acclamation dans la grange.

— Nous combattrons à vos côtés, Altesse, continua Kurt. Ne nous décevez pas.

— Je vous en fais le serment.

Ingrid

Elle observa avec obsession le miroir pendant plusieurs heures en attendant la nouvelle de la capture de la princesse, mais elle fut déçue.

— Montre-moi encore la fille ! ordonnait-elle

Elle commençait à haïr sa nouvelle voix râpeuse, mais elle n'inverserait pas le sortilège avant que Blanche ne soit entre ses mains. Elle ne se laisserait pas distraire.

— D'un sommeil paisible dans le village, elle dort. Elle est prête à se dresser, et du château te mettre dehors.

La glace mira Blanche et le prince assoupis sur un lit de paille, comme des bêtes. Pourquoi la princesse n'avait-elle pas été capturée ?

— Elle n'ira pas loin, croassa encore Ingrid. Son peuple m'offrira sa tête sur un plateau !

— Tous ceux qui rencontrent la princesse sont séduits. Tu dois trouver comment la vaincre aujourd'hui.

La surface vaporeuse du miroir laissa apparaître les nains. Ingrid hoqueta.

— Ils sont vivants ?

Les petits hommes marchaient en ligne au sommet d'un coteau. Ils étaient poussiéreux et épuisés, mais ils étaient tous là. Et ils n'étaient pas seuls. D'autres hommes les accompagnaient, armés de pioches et d'armes diverses. Ils n'étaient pas encore nombreux, certes, mais leurs rangs ne cessaient de grandir.

— Ils ne représentent aucune menace, affirma Ingrid sans conviction.

— Toi et moi savons que c'est faux. Ne te voile pas la face, tu as peur de l'échafaud.

Ingrid ne répondit pas. Elle était perdue dans ses pensées. Comment la troupe avait-elle pu survivre à la tempête ? Les autres ne convoitaient-ils pas la récompense royale qu'elle offrait ? L'argent et le pouvoir ébranlaient toutes les volontés, d'habitude.

— Son amour sera son châtiment. Attaque ceux pour qui elle a des sentiments, conseilla le masque.

La fumée se dissipa de nouveau, et le miroir montra cette fois Blanche. Les petits hommes n'étaient plus à ses côtés, mais le prince était bien là. Sa présence devenait encombrante. Le miroir avait raison.

Elle devait effectivement s'occuper de ce jeune homme.

Blanche

Leurs nouveaux compagnons n'avaient pas de chevaux à leur offrir, mais ils avaient des fruits, du pain et de l'eau, qu'ils empaquetèrent pour le voyage d'Henri et Blanche. Kurt et Fritz promirent de rassembler des hommes en s'arrêtant dans les villages voisins avant de rejoindre les nains au château. Blanche leur était reconnaissante de ce revirement et elle avait bon espoir que ces renforts lui permettraient de parvenir à ses fins. Malgré tout, la reine disposait d'une armée considérable.

Anne s'approcha de Blanche et Henri qui s'apprêtaient à partir.

— Je viens avec vous.

— Et ta mère ? Et ton travail au château ? Ne sera-t-elle pas furieuse que tu t'absentes ?

— J'ai expliqué à ma mère que je ne pourrai la rejoindre. Elle trouvera une excuse, Altesse.

Blanche rougit à ce titre.

— Appelle-moi Blanche.

— Blanche, répéta timidement Anne. Nous devons réussir à vous faire entrer dans le château discrètement. Avec ce prix sur votre tête, il sera difficile de traverser le royaume sans se faire remarquer.

— Si ces affiches ont déjà été placardées ici, j'imagine qu'il doit y en avoir partout sur nos terres, songea Blanche. Je ne pourrai pas faire deux pas sans être arrêtée.

Henri se mordit la lèvre. Il scrutait le ciel.

— Sans compter que la reine épie nos moindres faits et gestes. Elle est susceptible d'invoquer une tempête à tout moment. Comment faire pour l'atteindre ?

— Je crois que j'ai une idée, dit Anne. Vous pourrez continuer de rameuter des fidèles et d'accéder au palais sans vous faire remarquer. Et votre prince aussi.

Blanche rougit. Ce n'était pas vraiment « son » prince. N'est-ce pas ?

— Comment ?

Les yeux d'Anne s'étrécirent, ce qui lui conféra un petit air espiègle.

— Vous allez devoir devenir invisible. Et je connais justement celle qui peut nous aider. L'enchanteresse Leonetta. Les villageois vont parfois la consulter.

— Une enchanteresse ? s'exclama Blanche. Mon père m'a dit quelque chose à ce sujet, ajouta-t-elle avant de raconter brièvement la vérité au sujet du roi.

— Tout s'explique, fit Anne. Et s'il s'agit de la même enchanteresse, elle acceptera volontiers de vous aider. Sa demeure n'est pas vraiment sur le chemin du château, mais je pense que le détour en vaut la peine.

— Alors, allons voir cette Leonetta, acquiesça Blanche.

Anne lui tendit un sac.

— Je vous ai trouvé de nouvelles tenues. Les hommes ont donné quelques vêtements pour Henri, et je vous ai fabriqué la vôtre, Blanche. C'est l'une des robes que la reine a refusée. Ma mère préfère que nous les brûlions, mais je n'aime pas détruire mes créations.

Blanche tira une élégante robe bleue parée d'une ceinture dorée. Il y avait aussi une cape de voyage brune.

— Tu as un don, Anne. Mais je l'ai su dès que j'ai vu cette robe de velours vert avec la cape rouge que tu as confectionnée.

Anne écarquilla la tête.

— Comment l'avez-vous vue ? La reine l'a détestée.

— Je t'ai entendu discuter avec ta mère après le refus de la reine, sourit Blanche. L'étoffe était trop belle pour être jetée. J'ai récupéré les chutes et j'en ai fait des rideaux.

— J'avais bien cru reconnaître mon tissu en passant, mais vous fermiez toujours votre porte si vite.

— Ma tante n'aimait pas que je parle aux autres, donc je passais mon temps enfermée. Mais j'ai toujours su que nous nous entendrions bien.

— Je pensais la même chose de vous, Blanche.

Les deux femmes échangèrent un sourire.

Une fois changés, Blanche, Anne et Henri se mirent en route. La princesse avait déjà beaucoup appris sur sa nouvelle amie en quelques heures. Son père était mort lorsqu'elle n'était qu'un bébé et elle avait toujours été proche de sa mère. Elle ne connaissait pas le chant des oiseaux comme Blanche et Henri, mais la princesse lui apprit à en reconnaître certains. Avant qu'ils ne voient le temps passer, la couturière annonça qu'ils approchaient de leur destination.

— Toute ma vie, j'ai entendu des rumeurs sur l'enchanteresse, mais je n'ai jamais eu le courage d'aller la voir. Lorsque vous êtes arrivés au village, j'ai demandé à un habitant de m'indiquer la route. Je crois que c'est ici.

Ils firent halte devant une petite chaumière bâtie à flanc de colline. Elle était recouverte de mousse verte, et la végétation semblait même pousser sur le toit. Elle se mêlait parfaitement au relief, comme si elle pouvait se fondre dans le paysage. Anne tira un petit parchemin de sa poche et le consulta.

— Un cercle de séquoias, lut-elle. Un bosquet de saules pleureurs au sommet de la colline… Oui, c'est ici. Venez !

Anne s'approcha de la porte et frappa trois fois rapidement.

Quelques secondes plus tard, le battant s'entrouvrit. Une femme ramassée, aux longs cheveux blancs, apparut. Sa peau était si ridée qu'elle semblait irréelle, et ses yeux étaient drapés d'un voile gris. Peut-être était-elle aveugle.

— Que veux-tu, princesse ? demanda-t-elle en laissant apparaître ses dents jaunies et pourries.

Blanche écarquilla les yeux. Anne mit un genou à terre et incita ses compagnons à en faire autant.

— Enchanteresse Leonetta, la princesse, son prince et moi-même venons faire appel à votre sagesse.

— Humf, grogna Leonetta en essayant de refermer sa porte. Vous n'arriverez jamais au château ainsi, je vous l'assure.

— Attendez ! s'écria Anne. Nous le savons bien. C'est pour cela que nous avons besoin de votre aide.

— Je ne me mêle pas de la politique de ce monde, précisa la sorcière en observant Blanche. Et cette princesse devrait déjà être morte, comme sa mère.

Blanche frissonna.

— J'ai bien failli l'être, mais je me suis enfuie. Je vous en prie, aidez-nous à continuer notre route inaperçus. Il paraît que vous êtes capable de ce genre de choses.

— Bien sûr, mais ce sera difficile. Vous êtes marqués. Tous les deux, précisa-t-elle en agitant une main ridée vers Blanche et Henri. Et il est possible que seul l'un de vous s'en tire.

— S'il vous plaît, implora Blanche en tirant le collier bleu de sa poche. Je crois que vous avez aidé mon père par le passé. Le roi Georg.

La femme leva un sourcil noir de surprise.

— C'est le collier qu'il gardait contre son cœur ! Si le roi y a renoncé, c'est que vous devez vraiment avoir besoin d'aide. Ce collier l'a protégé pendant des années. Venez !

La sorcière leva les yeux vers le ciel et ajouta rapidement :

— Avant qu'elle ne nous voie. Vite !

Ils pénétrèrent dans la modeste demeure de l'enchanteresse. Il n'y avait qu'une pièce exiguë. Des herbes et des racines pendaient du plafond, naturellement ou non, et un chaudron bouillonnait au centre. La grande table était recouverte de bocaux et de fioles contenant des vers et d'autres créatures, vivantes ou mortes.

— J'ai rencontré le roi lorsque je traversais le royaume où il a été exilé, expliqua Leonetta en examinant une jarre de vers. Sa vie n'est que chagrin depuis plusieurs années, pourtant, il n'a jamais perdu la foi. Il savait que tu serais une grande reine, si tu en avais l'occasion. Il m'a supplié de veiller sur toi et de te protéger. J'ai fait de mon mieux, mais la reine m'a rendu la tâche difficile. Sa magie est très puissante, et tu es restée enfermée pendant si longtemps. A-t-il eu raison de croire en toi ?

— Oui, jura Blanche. Je ne laisserai pas tomber mon royaume.

Leonetta l'étudia un long moment. Puis elle se retourna pour verser diverses substances dans une marmite. Le liquide vira au bleu quand elle y ajouta de l'eau.

— Je te crois. Tout comme je l'ai cru, lui. Pourquoi penses-tu que j'aie ensorcelé ce collier pour que la reine ne le trouve pas ? J'ai lancé un charme sur sa maison, également. Le roi mérite un peu d'intimité en attendant de retrouver sa liberté.

Elle se tourna vers la princesse.

— Tu es la seule à pouvoir y arriver.

— Je sais. Je n'échouerai pas, déclara Blanche avant d'ajouter : je lui enlèverai sa magie noire et je m'en servirai pour l'obliger à abdiquer et à faire revenir mon père.

Leonetta se gratta une verrue sur le menton.

— Et si tu réussis, si tu t'empares de la couronne, m'aideras-tu comme je suis prête à t'aider ?

Blanche fut légèrement prise au dépourvu par cette requête. Qu'est-ce que l'enchanteresse pourrait bien lui demander ? C'était une décision difficile, mais son instinct lui dicta de se fier à cette femme.

— Je vous le promets.

Un grand sourire révéla les dents jaunies de la sorcière.

— Je n'en doute pas, ma reine. Allons, faisons en sorte que le prince et toi parveniez au château sans être vus.

Elle cisailla quelques herbes et les jeta dans la marmite. Une petite explosion retentit, ce qui ne l'inquiéta pas le moins du monde.

— Enchanteresse, combien de temps cela prendra-t-il ? demanda Anne. Le temps joue contre nous, et j'imagine qu'un tel sort est difficile.

— *Très* difficile ! opina Leonetta. C'est pourquoi je ne tolérerai aucune interruption. Viendra un jour où toi aussi, tu auras besoin de mes services, mais pas aujourd'hui. Attends dehors. J'ai besoin de me concentrer.

Anne se tourna vers Blanche. La princesse hocha la tête, et son amie sortit.

— Je dois vous prévenir : vous resterez invisibles tant que vous n'entrerez pas dans le château. Une fois à l'intérieur, vous serez seuls, expliqua Leonetta. La magie de la reine domine ces murs. Vous ne pourrez vous fier que l'un à l'autre. Et encore, je vous suggère de vous méfier des apparences.

Blanche n'était pas sûre de comprendre ce qu'elle insinuait, mais elle acquiesça néanmoins.

— Comment allez-vous faire pour nous rendre invisibles ?

L'idée lui paraissait complètement incongrue. La sorcière sourit en laissant tomber quatre vers de farine dans la marmite. Henri eut un haut-le-cœur.

— Vous ne serez pas *vraiment* invisibles, ma chère princesse. Disons que la reine ne pourra plus vous voir. Elle sera incapable de vous retrouver, car vous paraîtrez complètement différents des jeunes gens que vous êtes.

Elle versa une louche de sa décoction bouillonnante dans deux coupes et les tendit à ses invités.

— Buvez !

Henri observa la mixture et fut pris d'un nouveau haut-le-cœur en voyant les vers bouillis flotter à la surface.

— Bon… je me lance, dit-il.

— Non, c'est à moi de commencer.

Henri faisait tout cela pour elle. Il était normal que ce soit elle qui prenne les risques. *Un pas après l'autre.* Blanche commença à boire la potion. Elle était acidulée, avec un petit goût de gingembre, mais pas aussi amère qu'elle l'avait craint.

Elle regarda Henri. Il prit une profonde inspiration et avala sa tasse d'une traite. Ils s'observèrent. Leur apparence n'avait pas changé.

— Ça n'a pas fonctionné.

Leonetta fit claquer sa langue.

— Ne sois pas si négative ! Regarde-toi donc là-dedans !

La vieille femme fouilla dans un coffre au sol et en sortit un miroir à main poussiéreux. Elle l'épousseta sur son tablier et le tendit à Blanche. Henri se posta derrière elle, et ils examinèrent attentivement leur reflet. Ou ce qui *aurait dû* être leur reflet. Blanche avait désormais les yeux verts, et non ambre. Ses cheveux blonds étaient fins et formaient deux nattes rassemblées au sommet de son crâne. Elle semblait avoir une silhouette plus bréviligne, tandis qu'Henri avait bien pris cinq centimètres et avait désormais les cheveux bruns, et non plus châtains. Ses yeux couleur noisette aux longs cils clignaient anxieusement devant le miroir.

— Il va… falloir s'habituer, dit-il en se touchant les cheveux.

— Profitez-en ! Demain, vous subirez les conséquences de votre rébellion contre la reine. Vous aurez besoin de toute votre tête et votre énergie. Mais aujourd'hui, mettez votre temps à profit pour laisser votre relation s'épanouir. C'est là que vous puiserez votre force.

Blanche ne comprenait pas ce qu'elle voulait dire. À l'écouter, c'était comme si quelque chose allait mal tourner. Et si c'était le cas…

— Si vous pouvez voir ce qu'il va se passer, ne devriez-vous pas nous en informer ?

Leonetta s'affaira à nettoyer son chaudron.

— Mon enfant, je ne peux prédire l'avenir ! Le chemin évolue en fonction de ceux qui cherchent à le changer, expliqua-t-elle en pointant le doigt vers le couple. N'oubliez pas les sentiments que vous éprouvez l'un pour l'autre. Le cœur est plus fort que vous ne le pensez.

Blanche et Henri se regardèrent, puis détournèrent les yeux. La princesse avait soudain très chaud. Puis la sorcière les poussa dehors sans autre forme de procès. Quelques instants plus tard, des plantes avaient grimpé devant la porte et la dissimulaient complètement.

Anne les dévisagea, incrédule.

— Blanche ? Henri ? C'est bien vous ?

Blanche prit la main de son amie pour ne pas l'effrayer.

— Oui ! C'est nous !

Tous éclatèrent de rire. C'était presque impossible à croire.

— Votre déguisement est parfait. Il y a un petit hameau juste à l'orée du village du château, où nous pourrons nous restaurer en votre honneur. Espérons que les autres arriveront tôt demain pour que nous discutions de notre stratégie.

La chaleur du soleil réchauffait agréablement la peau de Blanche après tant de pluie.

— Allez, venez, leur dit encore Anne en ouvrant la route.

Un geai bleu passa dans le ciel et leur montra le chemin. Blanche et Henri racontèrent à la jeune couturière le reste de leur entretien avec l'enchanteresse et ne négligèrent pas de lui mentionner que le sort serait rompu une fois au château. Toutefois, ils évitèrent soigneusement de répéter ce qu'avait dit la vieille femme au sujet de leurs sentiments.

La nuit tombait quand ils atteignirent enfin une auberge. Une affiche annonçant une forte récompense en échange de la princesse Blanche-Neige avait été déchirée. Blanche se demanda si cela signifiait que les habitants étaient des alliés potentiels. Dans tous les cas, elle ne dévoilerait pas son identité. Anne jugea qu'il serait préférable que ce soit elle qui discute avec les clients de la taverne pour essayer de recruter des sympathisants. Henri paya deux chambres, une pour lui et l'autre pour Anne et Blanche. Cette dernière ressentait un sentiment étrange à l'idée de poser la tête sur un oreiller autre que le sien, si près du château. En bas, la taverne semblait très animée.

— J'ai déjà rencontré deux hommes venus aider la princesse, annonça Anne lorsqu'elle rejoignit Blanche. Ils disent que des volontaires arrivent de toutes parts. Ils ont dressé un camp dans la forêt. Selon eux, un groupe de petits hommes organise la révolte, mais ils attendent un signal de la princesse pour lancer l'assaut.

Les nains étaient donc sains et saufs. Dieu merci.

— Il faut leur faire savoir que la princesse va bien et qu'ils doivent se préparer à reprendre le château à midi, décida Blanche.

C'était l'heure à laquelle la plupart des gardes déjeunaient, quand ils avaient à manger. Cela leur offrirait peut-être un léger avantage.

— Je peux leur dire de se tenir prêts. Mais il reste le problème de vous faire entrer dans le château.

— Nous devrions nous séparer, proposa Henri. Faites-moi entrer le premier, ainsi je pourrais faire distraction de l'intérieur pour laisser le champ libre à Blanche.

— C'est trop dangereux, protesta la princesse. Vous avez déjà tellement fait.

— Et je serais fier d'en faire encore plus, dit-il en lui prenant la main et en la regardant droit dans les yeux. Je crois en vous. Croyez en moi et laissez-moi faire.

— Je crois en vous également, répondit-elle doucement sans lui lâcher la main. Mais vous devez être prudent. Restez à l'abri et n'intervenez que si c'est absolument nécessaire.

— Je serai prudent.

— Les cuisines ! s'exclama Blanche en repensant soudain à Mme Kindred. Dites que vous êtes le nouveau pâtissier, que la reine a renvoyé le précédent. Vous y serez en sécurité.

— Très bien, intervint Anne. Ce soir, j'irai chercher les autres pour leur exposer notre plan. Je conduirai Henri au château dès les premières lueurs du jour. Ensuite, je reviendrai pour vous.

— C'est entendu, confirma Blanche.

C'était une lourde responsabilité, mais Blanche avait toute confiance en Anne. Celle-ci remonta sa capuche sur sa tête.

— Je vous retrouve dans notre chambre plus tard, après avoir discuté avec les hommes. Essayez de vous détendre en mon absence.

Blanche l'enlaça.

— Fais bien attention, ma chère amie.

Henri conduisit Blanche à une table. Des assiettes et des verres furent déposés devant eux peu après. La taverne était de plus en plus bruyante et continuait de se remplir de voyageurs, de riverains, et même de mendiants. Certains furent chassés, d'autres non. Henri leva son verre :

— À l'assaut du château, demain.

La princesse leva sa coupe également et trinqua :

— À demain, et à tous les jours qui viendront ensuite.

Ingrid

Qui était ce garçon ? Un prince d'un royaume voisin. Ça, elle le savait. Mais comme elle regrettait d'avoir décliné sa demande d'audience au château. Elle avait craint qu'il ne lui demande la main de Blanche et l'avait donc chassé. Jamais elle ne s'était doutée qu'il finirait par la retrouver. Comment était-ce seulement possible ?

Comme pour tant d'événements qu'elle avait tenté d'anticiper, elle avait fait fausse route.

Le chasseur l'avait trahie.

Blanche avait trouvé un refuge.

Et maintenant, la princesse revenait au château pour prétendre au trône.

Qu'est-ce que ce garçon espérait en escortant Blanche ainsi ?

Elle les surveillait depuis qu'ils étaient ressortis sains et saufs de la mine. Ils avaient cheminé vers un village non loin. Elle était sûre que les paysans, qui avaient pris connaissance de sa généreuse récompense, dénonceraient la princesse. Mais non.

Au lieu de cela, Blanche avait pu reprendre tranquillement sa route. Elle s'approchait inexorablement du château. Et cette fois, il n'y avait pas seulement ce prince avec elle. Il y avait une fille, aussi. Il était difficile de savoir de qui il s'agissait, avec cette capuche lui tombant sur le front, mais Ingrid finirait bien par trouver. Elle ne dormirait pas, elle ne mangerait pas, elle ne respirerait pas tant qu'elle ne trouverait pas un tourment final pour Blanche et son prince.

— Montre-moi Blanche-Neige, exigea-t-elle, sans doute pour la dixième fois de la journée.

Sous le regard attentif de la reine, le miroir s'embruma, passant du violet au vert pâle. Puis le masque apparut.

— Hélas, quelque chose a changé. La plus belle et son charmant sont comme la brume en été. Ils se sont évaporés.

— Tu ne les trouves pas ? Comment est-ce possible ?

Tous ses muscles tendus, Ingrid fit les cent pas devant la glace. Elle se sentait comme un gros chat prêt à bondir. Soudain, Katherine apparut. Elle lui emboîta le pas. La cape d'Ingrid claqua, faisant disparaître l'image de sa sœur. Temporairement.

— Comme la neige dont elle tire son nom, leurs empreintes ont fondu. C'est l'œuvre de la magie s'ils ont disparu.

— Non ! rugit Ingrid

Elle balaya encore la table du bras. Les dernières fioles qui restaient s'écrasèrent sur le sol.

— Comment brise-t-on ce sortilège ?

— Pour que leurs visages soient dévoilés, ils doivent franchir les portes du palais. Tu vas devoir patienter.

— Quelqu'un les a aidés ! Qui ? aboya-t-elle. Sa tête est mise à prix, tout le royaume est au courant. Qui ose désobéir à mes ordres ? Quand arriveront-ils ?

— La magie a été distillée avec une grande adresse…, répondit le miroir.

Ingrid poussa un rugissement qui s'étouffa en une toux grasse. Le masque continua :

— … par celle qui a un jour aidé le roi : l'enchanteresse.

Ingrid éprouva un soudain besoin de jeter des objets contre les murs. Mais elle se ressaisit et régula sa respiration.

— Georg ?!

À cet instant, la silhouette de Katherine réapparut près d'elle, comme une épine refusant de s'en aller.

— Mais comment ? Il ne peut pas être dans le royaume, ma magie l'en empêche. Montre-le-moi.

Une image floue se dessina à la surface du verre. Pour la première fois depuis plusieurs jours, Ingrid eut un soupir de soulagement. Oui, le vieux roi était bien là, à ruminer dans son taudis. Ingrid se rendit compte que plusieurs années s'étaient écoulées depuis qu'elle l'avait observé. Il était toujours au même endroit. Et pourtant, il avait trouvé un moyen d'aider Blanche…

— Que s'est-il passé ? Que dois-je faire ?

— Un choix, dit simplement le miroir.

— Un choix ?

— La couronne ou ton miroir, tu dois faire un choix. Si tu veux les deux, la défaite te tend les bras.

— Je refuse ! tonitrua Ingrid. J'ai mérité cette couronne ! Je t'ai donné tout ce que j'avais ! Je ne me laisserai pas intimider par une jeune fille qui ne sait pas ce qu'il en coûte de régner !

— La vie est injuste, tu le sais en toute bonne foi. Si tu t'obstines à tout garder, Blanche prendra ce qui t'appartient, y compris moi.

— Mais comment ? s'écria la vieille mendiante. Elle ne t'a vu qu'une fois quand elle était enfant. Personne ne sait que tu es là. Comment pourrait-elle imaginer de quoi tu es capable ?

Ingrid s'arrêta de marcher. Elle agrippa le cadre doré du miroir pour reprendre son souffle.

— À moins que…

L'image se dessina si clairement qu'elle eut l'impression de vivre la scène.

— Bien sûr. Georg lui a tout dit.

— La force qui les unit est puissante. Elle a consulté son père, le peuple est avec elle. La plus belle est pure et bienveillante.

— Arrête de l'appeler ainsi ! hurla Ingrid.

Elle sentit le craquement avant de l'entendre. Elle leva les yeux et vit la fêlure se creuser à la surface de la glace. Elle ressentit soudain une vive douleur dans le bras droit. Elle eut un hoquet d'horreur en apercevant une veine grisâtre remonter de ses doigts jusqu'à son coude et se propager comme une mauvaise herbe.

— Que m'arrive-t-il ?

— Nous avons fusionné. Mon destin est le tien ; et le tien est scellé.

Que voulait-il dire ? Si la glace se brisait, elle mourrait ? Elle ne voulait pas en avoir la certitude, mais elle le sentait. Étaient-ils devenus *trop* proches ? Au fond d'elle, elle se l'était toujours demandé, mais n'y avait jamais vraiment réfléchi. Le miroir entendait ses pensées. Il avait connaissance de tous ses actes. Elle lui avait accordé ce privilège. Et maintenant, son corps le lui faisait payer.

— Que devons-nous faire ? murmura la reine en tenant son bras douloureux.

— Un choix.

— Non, asséna Ingrid. Je ne choisirai pas. J'ai besoin des deux. Il doit y avoir une autre solution.

Le regard perdu dans le miroir fumant, elle se tapota le menton, où un unique poil se dressait. Alors, une idée germa.

Elle allait leurrer la fille.

Oui.

Blanche était déjà en chemin. Il était inutile d'essayer de l'arrêter. Qu'elle vienne. Elle l'attendrait.

Ingrid jeta un coup d'œil à sa pomme empoisonnée, qui reposait toujours au sommet de son panier de fruits. Son pouvoir était encore grand.

Blanche savait ce qu'Ingrid désirait par-dessus tout : le miroir et la couronne. Mais que désirait sa nièce ? Pas la couronne, non. La fillette n'avait jamais eu soif de pouvoir, comme elle. Elle avait perdu sa mère et son père, elle avait grandi seule. Ce qu'elle voulait le plus était...

— L'amour, annonça le masque.

L'amour. Un sentiment futile. Un signe de faiblesse. C'était exactement ce qu'il lui fallait.

Elle ne pourrait pas atteindre Blanche par les nains ou le prince, mais il y avait une autre personne qu'elle pourrait utiliser. Il était temps que le roi Georg fasse son grand retour au château... ou plus précisément, prenne ses quartiers dans les cachots, là où Blanche ne le trouverait jamais.

Elle saisit la pomme et l'étudia longuement. La fille viendrait pour son père. Et elle succomberait au poison, à condition qu'elle tombe sur le fruit.

Ingrid sourit. Elle avait un plan. Et elle était déterminée à le suivre jusqu'au bout.

— Miroir magique ? Garde la princesse à l'œil. Pour la première fois depuis fort longtemps, j'ai hâte de recevoir nos visiteurs.

Blanche

Juste avant l'aube, tandis que les clients de l'auberge et le reste du royaume dormaient encore paisiblement, Blanche, Henri et Anne se rendirent à l'orée de la forêt, là où leurs troupes patientaient dans la rosée matinale. Un léger voile de brume masquait le paysage, mais Blanche avançait d'un pas déterminé. Elle était impatiente de retrouver les nains et de faire connaissance avec les villageois qu'ils avaient réunis. Peut-être seraient-ils une vingtaine ? Quand elle atteignit enfin le sommet de la colline, elle ne put réprimer un hoquet de surprise.

Il n'y avait pas vingt villageois qui l'attendaient.

Il y en avait des centaines. Des femmes et des hommes, des jeunes et des vieux.

En voyant Blanche approcher, tous brandirent leurs armes.

— Qui êtes-vous ? gronda Grincheux.

C'est alors que Blanche se souvint : elle n'avait plus la même apparence à leurs yeux.

Henri porta la main à sa hanche, prêt à dégainer son couteau. Blanche l'apaisa en lui touchant le bras.

— Tout ira bien.

— Je vous amène celle que vous attendez, annonça Anne, qui marchait devant. Vous ne la reconnaîtrez sans doute pas, mais je peux vous assurer qu'elle se trouve sous vos yeux. Pour le croire, il vous suffit d'écouter le son de sa voix.

— Qu'est-ce que c'est que ces manigances ? explosa Grincheux. Je ne reconnais pas ces importuns ! Qui êtes-vous ? Et que faites-vous ici ?

— Où est la princesse ? cria quelqu'un dans la foule.

Blanche craignit que les voix ne trahissent leur position. Elle s'avança avant que la situation ne devienne incontrôlable.

— Elle est devant vous. Je suis la même que celle qui a cuisiné et récuré les sols dans votre chaumière. C'est par la grâce d'un sortilège que j'ai changé d'apparence, c'est ainsi que j'ai pu traverser le royaume sans être reconnue.

Comme pour prouver ses dires, un petit cardinal se posa sur l'épaule de Blanche et pépia joyeusement.

— Blanche ? demanda Grincheux.

— Oui, rit-elle de son rire habituel. C'est bien moi ! Je suis heureuse de vous revoir en bonne santé. J'étais si inquiète après l'éboulement. Où est Simplet ? Comment va-t-il ?

Simplet surgit alors de l'attroupement et embrassa chaleureusement la princesse.

— Simplet ! Je suis si soulagée que tu ailles bien !

— C'est donc bien vous ! s'exclama Prof en courant vers elle pour l'enlacer brièvement.

— Vous êtes mieux en brun, grommela Grincheux à Henri avant de lui serrer la main. Merci de nous l'avoir ramenée en un seul morceau.

Henri jeta un coup d'œil à Blanche.

— Oh, je peux vous garantir qu'elle n'a pas besoin de chaperon !

Le nain se tourna vers la princesse :

— Je suis content de vous revoir… Enfin, de presque vous revoir.

— La magie n'agira que jusqu'aux portes du château, expliqua Blanche. Une enchanteresse nous a aidés. C'est Anne qui a eu cette idée.

— Anne ? Qui est-ce ? s'étonna Prof.

Blanche se tourna vers la jeune femme, toujours cachée sous sa capuche. Elles échangèrent un sourire.

— C'est une amie. Elle a accepté d'accompagner Henri au château dès maintenant. Il m'attendra à l'intérieur, au cas où j'aurais besoin d'aide pour accéder aux quartiers de la reine. Je m'y faufilerai quand la bataille aura commencé. Cette diversion me permettra de me frayer un chemin jusqu'à la reine, à l'abri des regards.

Grincheux soupira.

— Ne devrions-nous pas plutôt venir avec vous ?

Blanche lui prit les mains.

— J'ai besoin de toi devant le château, pour guider les hommes. C'est grâce à toi et aux autres que nous avons réuni autant de monde. Tu dois être un grand orateur.

Grincheux rougit légèrement.

— Je n'ai fait que leur dire la vérité. La Méchante Reine doit disparaître.

— Mais peut-être que *vous*, vous pourriez leur parler ? suggéra Prof.

Blanche embrassa du regard l'assemblée. Il y avait des hommes et des femmes de toutes les tailles, de toutes les corpulences. Certains n'étaient munis que de simples frondes, mais tous étaient prêts à se battre pour elle. Elle se sentit submergée par l'émotion. Elle fit un pas en avant.

— Mes loyaux sujets, je sais que je n'en ai pas l'air, mais je suis bel et bien la princesse perdue. Je dis perdue, car c'est ainsi que je me sentais ces dernières années, sous le règne de la Méchante Reine. J'avais accepté mon sort, je croyais que je ne pouvais rien faire pour le changer. J'ai compris que j'avais tort. En tant que fille du roi Georg et de la reine Katherine, je suis l'héritière légitime de ce royaume. Mon rôle est de me battre pour mon peuple. Je veux que nous puissions tous vivre en harmonie, en paix, et ce sera impossible tant que le régime actuel perdurera. Je ferai tout ce qui est en mon pouvoir pour changer cela.

Elle scruta les visages solennels devant elle.

— Votre présence ici signifie plus que je ne pourrais l'exprimer. Ensemble, nous avons quelque chose que la Méchante Reine n'aura jamais. Des alliés. Des amis. Une famille.

Applaudir était impossible s'ils ne voulaient pas révéler leur position, mais les villageois avancèrent, les uns après les autres, pour serrer la main de la princesse. Quand Blanche put enfin retourner auprès d'Anne et Henri, elle remarqua qu'ils étaient tous deux émus aux larmes. Grincheux s'essuyait les yeux avec son mouchoir en tissu.

— C'était magnifique, Blanche, murmura Anne.

— Vous avez parlé comme une reine, confirma Henri.

— Alors assez bavardé et aidons-la à en devenir une, ronchonna Grincheux. Quand partons-nous ?

— Il a raison. Je dois emmener Henri au château.

Blanche opina.

— Grincheux, rassemble les hommes et cachez-vous près du château. Quand l'horloge sonnera midi, sortez de l'ombre et prenez le château d'assaut. Pendant ce temps, je voyagerai avec Anne pour y entrer en douce.

Grincheux acquiesça. Blanche se tourna vers le prince.

— Henri… Vous serez là-bas, tout seul, pendant plusieurs heures.

— Je sais. Mais j'ai une idée. Anne ? Pensez-vous que nous pourrions nous procurer un uniforme de garde ? Ainsi, je pourrai me fondre parmi les soldats, même dans l'enceinte du château.

— Ça pourrait fonctionner avec les autres gardes, mais le miroir saura que vous êtes là, objecta Blanche. Vous devez rester caché.

— Soit. Je trouverai un abri. Mais l'uniforme pourrait quand même être utile.

— Les cuisines, lui rappela Blanche. Cherchez Mme Kindred. C'est quelqu'un de bon. Et personne n'entre sur son territoire.

— Alors j'irai en cuisine ! promit Henri, sans jamais quitter la princesse du regard.

Le ciel s'était déjà paré de rose, et la brume commençait à se lever. Les nuages s'écartaient. La pénombre laissait place au matin. Anne resserra sa capuche.

— Hâtons-nous. Tout le monde va bientôt s'éveiller, prévint Anne avant d'embrasser Blanche. Je reviens dès que possible. Faites bien attention à vous.

— Toi aussi, mon amie.

Blanche se tourna ensuite vers Henri. Que devait-elle faire ? L'embrasser ? Lui serrer la main ? Non. Que pouvait-elle dire à l'homme qui l'avait protégée et qui était peu à peu devenu son confident ? Le voir ainsi se préparer à partir lui serra le cœur.

— Soyez prudent.

— Vous aussi, princesse, répondit-il avec un sourire doux. Je veux que vous gardiez ceci.

Henri déposa un objet froid dans la paume de Blanche. Quand elle ouvrit la main, elle y découvrit la précieuse dague du prince. Elle caressa du bout des doigts les initiales de son frère gravées dans le fer.

— Pour vous protéger en mon absence.

— Non, je ne peux pas accepter, protesta la jeune femme. Vous n'auriez plus d'arme !

Henri secoua la tête.

— Je n'en ai pas besoin. Je sais que vous serez bientôt là et que nous nous retrouverons.

Il lui caressa les cheveux. Blanche sentit ses joues chauffer.

— Vous êtes intelligente et vous avez un grand cœur, Blanche. Tel que j'en ai rarement rencontré. Je me sens en sécurité auprès de vous.

Blanche glissa le couteau dans une poche de sa robe.

— Et moi auprès de vous. En ce cas, acceptez de garder cela pour moi. Nous les échangerons plus tard.

Elle sortit le collier de sa mère et le plaça dans les mains du prince. Celui-ci le rangea soigneusement dans sa veste en cuir.

— Je le garderai, dussé-je risquer ma vie pour lui. À bientôt, princesse Blanche-Neige.

Il lui prit la main et y déposa un baiser. Blanche rougit.

— À bientôt, prince Henrich.

Elle suivit du regard Anne et Henri disparaître derrière les arbres. Ce fut le début d'une attente éprouvante.

Ingrid

Enfin, le vent tournait en sa faveur.

Le roi Georg était prisonnier dans le cachot à côté d'un squelette qui avait vécu bien pire. Elle ne se souvenait même pas de qui était ce pauvre hère, mais elle avait reconnu Georg au premier coup d'œil. Même après toutes ces années, ses yeux bleus brûlaient de la même arrogance.

— Qui êtes-vous ?

Ingrid caqueta de sa voix de mégère, si différente de celle qui était la sienne.

— Qui crois-tu que je sois, mon cher Georg ? Ce n'est que moi, ta femme.

— Ma femme a été assassinée par la reine quand Blanche n'était qu'une enfant, tonna le vieux roi.

Ingrid tapa les barreaux de sa cellule.

— Et ta nouvelle épouse se tient juste devant toi, dissimulée sous un déguisement parfait.

— Magie noire ! s'indigna Georg en pointant un doigt tremblant vers elle. Sorcière !

— Allons, tu devrais le savoir, depuis le temps, railla Ingrid. Je t'ai manqué ?

— Tu ne gagneras pas cette bataille, Ingrid. Elle te tuera.

— Qu'elle essaye !

Ingrid lui tourna le dos et abandonna le roi dans son cachot.

Lorsqu'elle atteignit sa chambre, le miroir était éveillé et avait des nouvelles à lui confier.

— Elle est encore dans l'ombre, mais le garçon s'est avancé dans la lumière, révéla-t-il. Il est ici, dans le château, dans ta propre tanière.

Le miroir lui montra alors l'image du prince passant discrètement une porte avec l'aide de la même fille qui avait aidé Blanche la veille. Celle-ci se découvrit le visage. Ingrid s'approcha de la glace pour mieux l'observer. Elle la reconnut aussitôt. La fille de la couturière. Elle et sa mère paieraient cher leur trahison. Mais plus tard.

Ainsi, cette couarde de princesse avait envoyé le garçon en premier. Ingrid se tourna vers la pomme empoisonnée. Finalement, peut-être qu'elle ne la destinerait pas à Blanche. Le prince n'y verrait que du feu. Elle pouvait enfin l'atteindre et éliminer un à un les alliés de cette petite peste. Les rats n'en sortiraient que plus vite de leur cachette. Sa fin était imminente.

Empoisonne le garçon, fit une voix dans sa tête. Ou était-ce le miroir ? Elle n'arrivait plus à faire la différence.

L'image vaporeuse de Katherine se manifesta une fois de plus. Elle toisa sombrement Ingrid, qui se sentit mal à l'aise. Il ne se passait plus une heure sans que sa sœur morte lui apparaisse. Elle devenait folle. Tout cela était la faute de Blanche.

Ingrid scruta le garçon qui descendait les escaliers vers les cuisines. La fille de la couturière remonta et disparut de son champ de vision. Peut-être allait-elle chercher Blanche. Ce qui voulait dire que le prince était seul. La situation était idéale.

La fin est proche, l'air est à la tempête. Si tu ne fais pas ton choix, c'est la mort qui nous guette.

Jamais.

Elle avait un meilleur plan. Elle croisa les doigts et arbora un sourire mauvais.

— Je crois qu'il est temps de faire connaissance avec le prince de Blanche-Neige.

Blanche

Quelque chose n'allait pas.

Le soleil était maintenant haut dans le ciel, et Anne n'était toujours pas revenue. La nervosité se faisait sentir dans les rangs des rebelles. Blanche se rongeait les sangs.

Son amie avait-elle été faite prisonnière en accompagnant Henri ? Était-elle en danger ? Et Henri ? Blanche ne supportait pas l'idée de les savoir entre les griffes de la Méchante Reine.

— Je crois que nous devrions nous mettre en route pour le château, annonça Grincheux.

— Anne n'est pas encore revenue.

Les bois étaient si silencieux que Blanche pouvait entendre les passants sur le chemin. Chaque fois qu'elle entendait une voix, elle espérait que ce soit Anne.

Elle eut une terrible envie de se précipiter au château pour vérifier que ses amis étaient en sécurité, mais ç'aurait été une grossière erreur. Elle s'exposerait en pénétrant dans le domaine. Elle n'avait d'autre choix qu'attendre et prier pour qu'Anne revienne.

— Les environs commencent à être un peu trop fréquentés à mon goût, lança Grincheux. Nous devrions nous disperser pour marcher vers le village sans éveiller de soupçons.

Il n'avait pas tort. Mais où était Anne ?

Au même moment, elle entendit le feuillage bruisser. Elle se retourna d'un bond, comme Grincheux. Plusieurs hommes s'approchèrent, armes à la main. Une silhouette s'extirpa alors des buissons, le souffle court.

— Anne ! s'écria Blanche en courant vers elle pour l'embrasser. Je suis si heureuse que tu ailles bien.

— Oui, et Henri aussi, la rassura la jeune femme. Il est dans les cuisines.

— Bien, soupira Blanche.

Anne s'écarta de la princesse.

— Je voulais revenir plus tôt, mais il y a de l'agitation au château. Les gardes se déplacent et rassemblent leurs armes. Pendant un instant, j'ai cru qu'ils avaient percé notre plan à jour.

Grincheux et Blanche se regardèrent avec anxiété.

— Mais ensuite, je les ai vus traîner un homme vers les cachots, raconta Anne en s'humidifiant nerveusement les lèvres. Blanche, je crois que c'était le roi Georg.

Blanche se crispa. Elle aurait dû se douter qu'Ingrid ne baisserait pas si facilement les bras. Elle avait essayé de la faire tuer, avait déchaîné les éléments contre elle et mis sa tête à prix. Et voilà qu'elle s'en prenait à son père. C'était inattendu et inquiétant, mais une part de Blanche se réjouissait aussi de cette nouvelle. Si le roi était revenu dans le royaume, cela signifiait que sa malédiction avait été levée.

Oui, il était aux fers, mais elle savait que tante Ingrid ne lui ferait pas de mal. Elle attendait Blanche et comptait se servir du roi comme appât.

— Il ne lui arrivera rien, assura Blanche. Et à nous non plus.

Anne lui jeta un regard troublé.

— Il est temps de reprendre ce château.

Ingrid

Sa vieille cape trouée ne convenait pas, mais ce n'était pas un problème. Ingrid fouilla dans les piles de tissu de la couturière et dégota de quoi se faire passer pour une paysanne. Elle cacha ses cheveux blancs et desséchés sous un foulard et espéra que sa robe brune informe ne détonnerait pas en cuisine. Ce sac la démangeait comme jamais. Comment les gens pouvaient-ils porter ce genre de vêtements ? Elle avait oublié depuis longtemps ces sensations désagréables.

Elle se glissa dans le couloir et aperçut un garde. En prenant soin de rester dans l'ombre, elle se fit passer pour l'une de ces femmes de chambre pénibles qui rôdaient constamment dans le château avant qu'elle ne les renvoie presque toutes.

— Toi ! La reine veut que tu ailles voir Mme Kindred sur-le-champ. Dis-lui d'aller chercher des herbes fraîches au marché. Sa Majesté veut du canard rôti pour le dîner, et elle ne tolérera aucune déception.

— Oui, madame, répondit le garde en filant au pas de course.

Si la cuisinière lui concoctait effectivement un canard, ce serait un festin digne de sa victoire annoncée. D'ici la fin de la journée, le triomphe d'Ingrid serait total. Le miroir saurait enfin qu'elle avait eu raison de se battre pour protéger tout ce qu'elle avait si chèrement acquis.

Ingrid serra l'anse de son panier de fruits tandis qu'elle avançait dans l'ombre. Elle descendit les escaliers et sentit l'air se rafraîchir en s'approchant des sous-sols. Le parfum d'un bouillon mijotant dans l'âtre lui emplit les narines dès qu'elle passa la porte des cuisines. Mme Kindred était partie, la pièce était déserte. Du moins, en apparence. Discrètement, elle en fit le tour et chercha un endroit suffisamment spacieux pour qu'un prince s'y cache.

Ses yeux se posèrent sur le grand garde-manger. Il y en avait un similaire chez elle et Katherine, quand elles étaient enfants. Il était presque toujours vide. Mais celui-ci devait être rempli de farine, de sucre et d'autres denrées. Or, toutes les réserves avaient été étalées sur une grande table.

Elle s'approcha du meuble et en ouvrit la porte. Le prince était là, recroquevillé. Il était en sueur et avait l'air inquiet. Parfait.

— Qu'avons-nous là ?

Le prince sursauta. Il portait un uniforme de garde royal. Où l'avait-il trouvé ?

— Je vous en prie, ne dites pas un mot, implora le prince. Je ne suis pas là pour voler quoi que ce soit. Mme Kindred a dit que je pouvais rester ici un moment.

La cuisinière pouvait se chercher un autre emploi.

Enfin, après avoir servi le canard rôti.

— Bien sûr ! croassa Ingrid. Mais tu serais bien plus à l'aise en dehors de ce placard. Allons, viens, viens !

Le garçon hésita.

— C'est-à-dire que… Je ne suis pas censé être vu.

— Balivernes ! Je suis l'assistante de Mme Kindred. Personne d'autre que moi ne viendra par ici tant qu'elle est partie. Viens, assieds-toi. Mange donc quelque chose, tu as une mine terrible.

Le prince rit de bon cœur.

— Il faisait chaud là-dedans. Merci, ma bonne dame.

— Je t'en prie. Alors, tu as faim ?

La sorcière fit mine de s'affairer dans la cuisine. Elle déplaçait des bols et des cuillères, mais ses yeux restaient rivés sur son panier de pommes.

— Un peu, admit Henri. Mais ne vous donnez aucune peine. Je me contente bien largement d'un endroit où me reposer.

Ingrid agita un bras. Elle ressentit aussitôt une intense brûlure ; elle souffrait encore.

— Oh, j'insiste.

Elle s'approcha des fruits et examina le poison enrobant la pomme.

Choisis, lui rappela le miroir.

Elle l'ignora. Elle tendit une main tremblante et ridée vers la pomme empoisonnée et la tendit au prince.

— Tiens. Une belle pomme. Tu aimes les pommes ?

Le prince sourit. C'était un beau garçon. Quel dommage que la princesse l'ait entraîné dans cette histoire.

— Elles ont l'air délicieuses.

— Oui ! Mais attends d'en goûter une, mon petit.

Sa voix n'était plus qu'un murmure. Son cœur frappait contre sa poitrine. Elle sentait chaque nerf de son corps picoter.

— Vas-y. Vas-y, croques-en un morceau !

Le prince prit la pomme des mains fripées de la vieille.

— Merci, vous êtes fort aimable.

— Bien sûr ! Ce sont les plus belles pommes du royaume !

Elles sont à tomber !

Ingrid retint sa respiration. Henri approcha le fruit de ses lèvres. Elle attendit fébrilement qu'il prenne sa première – et dernière – bouchée. Le visage du prince se transforma aussitôt.

— Il y a quelque chose d'étrange…

Il s'écroula dans une pile de casseroles. Les couvercles roulèrent sur le sol avec fracas. Il chercha avec peine un objet dans sa poche, mais n'en sortit rien. S'il avait eu une arme, il l'avait perdue. Ingrid se délectait du spectacle. Elle se frottait les mains avec ravissement pendant que le prince tentait de se relever.

— Je me sens… tout drôle, dit-il en regardant la vieille femme d'un air implorant. Aidez-moi.

La main d'Henri retomba à terre. Il lâcha la pomme qui roula sur le sol et s'arrêta, la face croquée bien en évidence. Déjà, le fruit commençait à pourrir.

Ingrid laissa échapper un caquètement si fort qu'elle crut réveiller les morts.

Blanche

La princesse suivait Anne dans la forêt. Henri et son père occupaient toutes ses pensées. Devant elle, le château dominait l'horizon.

Ils avaient prévu tout ce qu'il était possible de prévoir. Pour le reste, ils devraient se fier au destin.

Reste à mes côtés, Mère, pensa-t-elle en voyant une nuée d'oiseaux passer au-dessus d'elle en direction du château. Peut-être de la volière. *Aide-moi à sauver notre royaume.*

Sa mère ne lui répondit pas, bien sûr. Blanche ne l'avait pas revue depuis la nuit où elle avait rêvé du miroir. Son père était maintenant prisonnier, et Henri risquait sa vie dans l'enceinte du château. Ils risquaient tous leur vie. Les hommes de Blanche étaient partis dans différentes directions afin d'entrer au village sans se faire remarquer. Ils étaient prêts à se battre pour elle.

Tout le monde avait pris les armes pour elle. Elle n'envisageait pas d'autre issue que la victoire.

Mais que serait une victoire ? Elle sentit le poids du couteau d'Henri dans sa poche et le tâta comme pour s'assurer de sa présence. Son père voulait que la Méchante Reine périsse. Devrait-elle en arriver à une telle extrémité ? Elle ne s'imaginait pas tenir une arme, encore moins blesser quelqu'un avec. Elle n'était pas comme sa tante. Elle ne pouvait pas tuer de sang-froid. Elle espérait, encore et toujours, que s'emparer du miroir serait suffisant pour forcer sa tante à partir et à ne jamais revenir. Dans le cas contraire... il lui faudrait trouver une autre solution.

Les deux femmes suivirent le sentier de campagne à travers les roncières pendant ce qui sembla être une éternité. Le château se dressait devant elles.

— Par ici, indiqua Anne en guidant Blanche vers une entrée du village inhabituellement calme.

Les rues qui auraient dû déborder d'activité étaient désertes. La princesse aperçut une affiche officielle clouée à un poteau. Une célébration allait avoir lieu à midi, et tous les villageois étaient attendus. Cette convocation inattendue ne pouvait pas être un hasard. Sa gorge se noua. Était-ce au sujet de son père ?

Avant qu'elle n'ait le temps d'y songer davantage, elle entendit des cris, des pas précipités. Grincheux avait-il lancé l'assaut en avance ?

Un homme passa en courant devant elles. Il semblait complètement effrayé.

— La reine est une sorcière ! cria-t-il sous le nez de Blanche. N'allez pas sur la place. Courez ! Fuyez ! Ou la reine Ingrid vous maudira aussi.

Nous maudira ?

Blanche se précipita jusqu'au château. Elle ignora les avertissements d'Anne et les hurlements qui s'élevaient maintenant de toutes parts. Elle se fraya un chemin jusqu'au premier rang. Et elle le vit, allongé. Inerte.

Ce n'était pas son père. C'était Henri.

Son Henri. Allongé dans un cercueil de verre.

— Non !

Elle passa les grilles du château et se précipita sur l'estrade, où le prince gisait, pâle comme la mort. Son corps était exhibé dans sa tombe de verre. Elle ravala un sanglot en tendant la main vers lui. Elle avait parfaitement conscience que la magie ne la dissimulait plus depuis qu'elle avait franchi les portes du château.

— C'est la princesse ! s'écria une voix.

— Blanche, attendez ! implorait Anne.

Mais elle ne pouvait s'arrêter. Elle devait voir Henri. Elle ouvrit lentement le couvercle de verre et posa sa tête sur la poitrine de son bien-aimé. Elle cherchait le seul son qui comptait pour elle : les battements de son cœur.

Avant qu'elle ne puisse les entendre, elle fut arrachée de l'autel et tirée vers le château par un garde qui lui riait au visage.

— Bienvenue chez vous, Blanche-Neige.

Ingrid

Depuis sa fenêtre, Ingrid contemplait le chaos ambiant. Elle le savourait comme le plus délicieux des élixirs. Le corps du garçon était exposé aux yeux de tous. La peur sur les visages était ambroisienne. Elle vit Blanche-Neige être éloignée de force du cercueil de verre. La princesse serait conduite dans ses appartements d'une minute à l'autre. « L'armée » de Blanche, si tant est que l'on puisse l'appeler ainsi, avait pris peur.

Ingrid se détourna de la fenêtre avec le sentiment du travail bien fait. Le miroir s'était trompé. Elle pouvait tout avoir.

Choisis, l'implora pourtant encore la voix. Ingrid se tourna vers le miroir et vit Katherine et son maître la dévisager tristement. Elle les ignora et se dirigea droit vers sa chambre, d'où provenaient des sons étouffés.

Quelques secondes plus tard, un garde ouvrit la porte, poussa Blanche-Neige dans la pièce et referma rapidement derrière lui, comme il en avait reçu l'ordre.

Ingrid vit Blanche tomber, une expression d'horreur imprimée sur son beau visage. Son plan avait fonctionné à la perfection. Blanche était brisée. Elle n'avait plus qu'à finir le travail.

— Debout ! intima Ingrid de sa voix éraillée.

Blanche leva les yeux de surprise.

— Qui êtes-vous ? murmura-t-elle.

Ingrid leva les yeux au ciel. Parfois, malgré la vue de ses mains fripées, elle oubliait qu'elle n'avait pas encore eu le temps d'inverser son sortilège de dissimulation.

— Je suis celle qui a maudit ton prince, caqueta-t-elle devant le visage blêmissant de la princesse. Oui. C'est moi. Je suis ta reine, petite ! Tu n'es pas la seule capable de changer d'apparence par magie. Maintenant, lève-toi. Témoigne un peu de respect envers tes aînés.

Blanche se redressa.

— Suis-moi, ordonna la reine.

Katherine et son maître marchaient silencieusement à côté d'elle, mais Ingrid n'était pas inquiète. *Le miroir doit voir comment tout cela va se finir*, songea-t-elle. *Alors, il n'osera plus jamais remettre ma parole en question.*

La chambre était plongée dans l'obscurité. La seule source de lumière provenait du miroir, dont la surface était emplie d'une fumée embrasée de vert et de jaune.

Blanche l'observa avec horreur.

— Alors, c'est vrai. C'est la source de ton pouvoir. Un miroir magique.

— *Je* suis la source de mon pouvoir ! déclara Ingrid. J'ai passé des décennies à travailler pour cette couronne ! Crois-tu que je sois assez sotte pour laisser un enfant me la prendre ?

— Est-ce qu'Henri est mort ? murmura Blanche, le cœur battant en attendant la réponse.

Ingrid pinça ses lèvres. Ses yeux fulminaient.

— C'est tout comme. Il n'avait aucun droit d'entrer dans ce château et de t'aider à me voler mon trône. Comment oses-tu me défier ?

— Ce trône appartient à ma famille, se défendit Blanche d'une voix tremblante, mais le dos droit.

La silhouette de Katherine s'approcha pour se tenir auprès de sa fille.

— Je sais ce que tu as fait à mon père. Je sais maintenant qu'il ne m'a pas abandonnée.

— Cet idiot n'était pas digne de régner ! Il était faible !

La vieille reine clopina vers la jeune princesse. Ses yeux lançaient des éclairs de rage. Blanche inspira.

— Si tu lui fais le moindre mal… Si tu lui fais subir le même sort qu'à ma mère…

Ingrid éclata de rire.

— Je n'ai aucune intention de lui faire du mal. Il s'en chargera très bien tout seul, quand il n'aura plus personne au monde ! Il se meurt à petit feu sans ta mère.

— Que tu as assassinée ! s'écria Blanche.

Ingrid ressentit une vive douleur dans le flanc droit et se tut. Elle regarda tour à tour Blanche et Katherine, qui se tenait si près de sa fille qu'elle aurait pu la toucher, si une telle chose avait été possible. Si Ingrid avait été capable de nourrir des regrets, ç'aurait été pour la mort de sa sœur. Mais Katherine, comme sa fille, avait été incapable de la laisser vivre sa vie.

— Ce n'est pas aussi simple que ce que tu sembles croire.

— C'était ta sœur ! contra Blanche. Elle t'a invitée au château, et tu l'as trahie. Tu as privé une petite fille de sa mère. Tu as brisé le cœur de mon père, avant de l'ensorceler pour l'épouser puis le bannir !

Quand elle prit la parole, Ingrid refusa de regarder Blanche ou Katherine.

— Tu n'étais qu'une enfant, tu ne comprenais pas comment fonctionne ce monde. Ta mère a menacé mon avenir. Elle ne m'a pas laissé le choix.

Quelqu'un frappa à la porte. Blanche et Ingrid sursautèrent toutes les deux. Personne n'avait encore jamais osé entrer dans sa chambre, encore moins se diriger vers sa pièce secrète.

— Ma reine ! lança une voix feutrée. Ils ont franchi les portes du château ! Nous ne pouvons pas les repousser, ils sont trop nombreux ! Il faut partir.

Ingrid se tourna vers la princesse, qui semblait soudain beaucoup plus sage que son âge.

— Nous avons toujours le choix, déclara Blanche, la voix plus ferme que jamais. Tu as choisi de tuer Katherine pour protéger ton précieux miroir.

Ingrid se rua vers Blanche.

— Ne t'avise plus jamais de prononcer le nom de ma sœur devant moi !

— Ma reine ! Nous devons faire vite ! dit encore la voix.

— Choisis, intervint alors le miroir tout haut.

— Le miroir peut parler ? s'étonna Blanche, fascinée par le masque qui se dessinait sur la glace.

— Bientôt il sera trop tard ; crains leur ferveur. Agis maintenant et répare ton erreur.

Ingrid se couvrit les oreilles. Ce vacarme dissonant l'empêchait de réfléchir clairement. Blanche s'approcha d'elle.

— Je connais la vérité, maintenant. Et tout le peuple la connaîtra bientôt. Il saura tout, sur le roi Georg, la reine Katherine…

Ingrid s'arracha ses cheveux blancs, le visage déformé par la colère.

— Je t'ai dit de ne plus prononcer ce nom !

— Ma reine, je vous en prie ! Dépêchez-vous ! répéta le garde derrière la porte.

— Katherine ! cria Blanche, sa voix plus forte et plus claire. Katherine ! Katherine !

Ingrid n'en put plus. Elle hurla de tous ses poumons, si fort que sa voix fit vibrer les murs. Les fêlures du miroir se creusèrent.

Blanche

Le hurlement de sa tante était si strident que Blanche dut se protéger les oreilles. La reine en faisait autant, comme si sa propre voix déchirait sa frêle carcasse.

La Méchante Reine, autrefois puissante, n'était plus qu'une vieille sorcière fragile. Blanche ignorait pourquoi elle n'avait pas repris son apparence. Le sort, comprenait-elle, devait épuiser sa tante.

« Maintenant, Blanche. Maintenant ! » l'incita une voix dans sa tête. *Maintenant quoi ?* voulut-elle demander. La voix ressemblait à celle de sa mère. Peut-être n'était-ce que la sienne. Étonnamment, dans cette pièce rongée par les maléfices, elle sentait la présence de sa mère à ses côtés. Elle sentait aussi une confiance qu'elle n'avait encore jamais éprouvée. Malgré le danger, malgré le chagrin, elle n'avait pas peur.

Le garde avait indiqué que son armée avait envahi le château. Quelqu'un finirait bien par trouver son père dans les cachots et le libérer. Tante Ingrid allait perdre sa couronne. Et le miroir ? Dès que Blanche était entrée dans la pièce, elle l'avait senti l'appeler, lui demander d'approcher. Le masque qui hantait le miroir avait terni l'âme de sa tante. Il l'avait convaincue de prendre la vie de sa sœur, d'exiler le roi et d'attenter à la vie d'une jeune princesse. Certes, c'était Ingrid qui avait commis ces actes, mais il était évident qu'elle avait été influencée par le miroir. Un objet magique ainsi empli de haine n'aurait jamais dû exister. « Maintenant, Blanche. Maintenant ! », répéta la voix.

Lorsqu'elle leva les yeux, elle remarqua que la glace du miroir se craquelait. Les fissures se propageaient dans tous les sens, comme une toile d'araignée. Et ce faisant, les cris d'Ingrid se renforçaient. Comme si le miroir déchirait la reine. Malgré tout ce qui était arrivé, Blanche ressentit de la pitié pour la femme qui se tenait à ses pieds.

Si elle détruisait le miroir avant que celui-ci ne détruise sa tante, cela serait-il suffisant ?

Blanche sentit son cœur s'accélérer. Elle plongea une main dans sa poche contenant le couteau d'Henri. Elle sentit l'acier froid. Ses doigts se serrèrent autour de la poignée.

« Maintenant, Blanche. Maintenant ! »

Elle était sans doute incapable de plonger une lame dans le cœur de sa tante, mais elle n'avait aucun remords à briser un miroir. Blanche se dirigea vers celui-ci, le couteau brandi au-dessus de sa tête.

Sa tante se tourna lentement vers elle.

— Que fais-tu ?

— Blanche-Neige, la plus belle qui soit. Tu pourrais devenir tellement plus avec moi.

Blanche s'arrêta. Elle hésita.

— Ne lui parle pas ! cria tante Ingrid.

Mais ses jambes défaillaient. Elle tomba à genoux, les mains au sol.

— Laisse-moi te montrer la voie et touche la glace. Tu es plus forte que ta reine. Avec mon aide, tu prendras sa place.

— NON ! hurla Ingrid, clouée au sol. Ne le touche pas !

Blanche n'avait nul besoin des conseils de sa tante. Elle ne se laisserait pas leurrer par les mensonges d'un miroir.

Elle plongea le couteau dans le verre fracturé. Les lézardes se creusèrent davantage. L'éclat du miroir s'intensifia et passa du vert au rouge. Blanche le frappa encore et encore. Sa tante criait, mais Blanche s'acharna contre la glace jusqu'à ce qu'elle explose en mille morceaux. Un vent puissant se déchaîna, accompagné d'un rugissement assourdissant. La Méchante Reine et Blanche furent toutes deux projetées en arrière. La princesse se couvrit le visage pour se protéger des fragments de verre brûlants qui volèrent à travers la pièce, brisèrent les fenêtres et plongèrent le château tout entier dans l'obscurité.

Ingrid

Lorsqu'elle rouvrit les yeux, tout ce qu'elle ressentait était une intense douleur. Elle leva les mains et vit un filet de sang couler le long de ses bras fripés. Elle ne savait plus où elle était.

Ingrid leva les yeux et resta interdite devant la femme qui se tenait au-dessus d'elle.

— Katherine ? croassa-t-elle d'une voix qu'elle ne reconnaissait pas.

— C'est Blanche-Neige, répondit la femme. Tu seras jugée pour tes crimes. Gardes, emmenez-la.

— Comment ? s'écria la vieille femme.

Deux hommes la soulevèrent par les bras. Ils ne portaient pas d'uniforme. Ils ressemblaient même à des paysans ! Elle voulut se dégager, mais ils tinrent bon. Le moindre contact lui était douloureux.

Les vitres de la chambre avaient explosé et laissaient entrer la pleine lumière du jour. Ingrid mit un moment à s'habituer à cette luminosité. Elle remarqua des éclats de verre éparpillés sur le sol. Elle regarda son précieux miroir. Le cadre était vide. La glace avait été complètement détruite.

Elle avait fait tant de sacrifices. Elle avait regardé son maître mourir, fait assassiner sa sœur, banni le roi, ordonné au chasseur de tuer Blanche-Neige et empoisonné le prince. Mais, désormais, elle n'avait plus rien. Son miroir, son plus proche compagnon et son loyal serviteur, n'était plus. Sa vie n'était plus qu'un tas de ruines. Elle baissa les yeux vers ses vieilles mains tremblantes. Elle ne pouvait pas rester sous l'apparence d'une vieille mégère un instant de plus. Sur sa table à potions, plusieurs flacons avaient été renversés, et leur contenu s'écoulait lentement sur le sol.

— Laissez-moi juste un instant. Je suis la reine ! Je mérite le respect.

Elle devait absolument inverser ce sort. Les hommes ne desserrèrent pas leur emprise. Ils se contentèrent de rire.

— Cette vieille peau n'est certainement pas la reine. L'auriez-vous vue, princesse ?

Blanche dévisagea Ingrid.

— Non, elle n'est plus là. Cette femme s'est débarrassée d'elle. Emmenez-la aux cachots. Elle pourra réfléchir à ses crimes dans le plus grand des calmes.

Ainsi, elle n'était pas condamnée à mort ?

L'isolement ne lui faisait pas peur. Elle avait passé toute sa vie seule.

Seule, mais avec le miroir.

Blanche la jaugea silencieusement. Dans le couloir, les gardes fidèles à la reine étaient emmenés. Des villageois couraient partout dans le château, se félicitant les uns les autres et acclamant la princesse. Ingrid voulait leur crier de partir, qu'ils n'avaient rien à faire ici, mais elle savait que personne ne l'écouterait. Personne n'accorda le moindre regard à la vieille harpie que l'on escortait à sa cellule. Personne ne lui adressa la parole quand elle fut poussée dans le cachot obscur où elle avait elle-même fait enfermer Georg quelques heures plus tôt. Elle était seule.

Mais pas pour longtemps.

Sa vision s'ajusta à la pénombre. Ingrid aperçut alors son maître et Katherine apparaître près d'elle. Les fantômes – ou plutôt, ce mauvais tour de son imagination, de son esprit dérangé, ou quoi que ce soit d'autre – étaient là pour lui tenir compagnie. La silhouette du maître disparut rapidement, mais celle de Katherine ne bougea pas.

N'était-ce pas poétique ? Katherine était enfin là pour elle. Le cœur d'Ingrid se serra quand elle se rendit compte qu'elle avait commis des actes irréparables. Pourtant, Katherine était à ses côtés. La vieille femme tendit la main pour toucher le spectre de sa sœur. La vision lui accorda un sourire triste, le dernier, puis s'évapora à jamais.

Blanche

Blanche-Neige sortit des appartements sinistres de sa tante, fébrile mais vivante. Elle rejoignit les hommes qui festoyaient dans les couloirs sombres. Quelqu'un s'attelait à rallumer toutes les torches et les lanternes, inondant le château de lumière. Mais Blanche ne voulait pas rester là. Elle voulait s'éloigner le plus vite possible de la chambre de sa tante. Elle était exténuée.

— Blanche ! Blanche !

Anne courait vers elle. La princesse se jeta dans ses bras, et les deux femmes fondirent en larmes.

— Vous êtes en vie ! J'ai craint le pire lorsque les fenêtres ont explosé.

— Oui, je vais bien, assura Blanche en s'éloignant de son amie pour mieux la regarder. Mais Henri…

— Je sais.

Les larmes roulaient abondamment sur les joues de Blanche.

— Vous êtes blessée, constata Anne en soulevant les bras parsemés d'entailles et ensanglantés de la princesse. Ne bougez pas, je vais vous soigner.

— Non. Mes blessures peuvent attendre. Je veux le voir.

— Le roi ? Il est déjà là.

Blanche parlait d'Henri, mais elle aperçut alors son père, libéré des cachots. Georg courut vers elle, accompagné de Grincheux, Prof et les autres petits hommes. Blanche s'élança à sa rencontre et tomba dans ses bras.

— Tu vas bien ! s'exclama le vieux roi en lui caressant les cheveux comme lorsqu'elle était petite. J'étais si inquiet.

— Et moi donc, répondit Blanche entre deux sanglots. Quand j'ai appris qu'elle t'avait enlevé, je ne savais plus quoi penser.

— Je vais bien, ne t'en fais pas. Mais Blanche…, hésita son père. Henri est…

Mort. Elle ne supporterait pas d'entendre ce mot.

— Je sais.

— C'est l'ancien roi ? s'exclama soudain quelqu'un.

— Roi Georg ? Vous êtes venu pour nous ?

Une foule se forma alors autour d'eux.

— Oui, c'est bien moi. La Méchante Reine m'avait banni il y a bien longtemps. La malédiction a enfin été levée, grâce à ma fille.

— Qu'on donne des vêtements propres au roi ! ordonna une autre voix.

Puis Georg fut conduit ailleurs. Partout, les gens pleuraient de joie, s'embrassaient et se félicitaient. Si Blanche partageait leur joie, elle était toutefois dans un état second.

— Blanche ?

La jeune femme se tourna et vit Joyeux, Dormeur et Atchoum à côté de Simplet. Ils se découvrirent tous le chef.

— Nous avons appris ce qui est arrivé à Henrich, indiqua Dormeur. Nous n'arrivions pas à le croire. Nous avons voulu le voir de nos propres yeux.

— Un cercueil de verre…, continua Atchoum en secouant la tête. Blanche, nous sommes sincèrement désolés. Les gardes nous ont dit qu'ils l'avaient trouvé dans les cuisines. C'est là que ça a dû arriver. Simplet a trouvé quelque chose. Il voulait que vous le voyiez.

Le nain muet s'avança. Il tenait une pomme rouge entre ses mains. Elle était entamée. La chair était devenue aussi noire que du charbon, comme si elle avait été frappée par la magie. Blanche comprit qu'Ingrid avait dû réussir à tromper Henri pour qu'il croque une pomme empoisonnée.

— Nous vous présentons toutes nos condoléances, princesse.

Prof versa une larme. Blanche sentit sa gorge se nouer.

— Il faut prévenir son royaume, pour que sa dépouille y soit retournée dignement.

— Le prince Henrich mérite des funérailles de héros, acquiesça Grincheux. C'était un homme bon.

Comme leurs camarades, Prof, Grincheux et Timide baissèrent leur chapeau. Atchoum se moucha bruyamment et pleura. Simplet, lui, continua de montrer la pomme. Blanche ne comprenait pas ce qu'elle était censée voir. Elle était empoisonnée, cela ne faisait aucun doute. Et c'était l'œuvre d'Ingrid. Qu'y avait-il d'autre à savoir ?

« C'est tout comme », avait dit la vieille sorcière quand Blanche lui avait demandé si Henri était mort. En y repensant, cette réponse lui paraissait quelque peu énigmatique.

« C'est tout comme » signifiait qu'il n'était pas vraiment mort, n'est-ce pas ? Simplet sourit en voyant que Blanche commençait à comprendre.

La princesse s'élança dans le couloir au pas de course.

— Blanche ! Où allez-vous ? s'écria Anne.

Les petits hommes la hélèrent aussi, mais elle ne s'arrêta pas.

Elle devait en avoir le cœur net. Elle passa les portes du château et se précipita sur l'estrade où gisait Henri dans son cercueil. Il y avait toujours foule derrière les grilles.

— C'est Blanche-Neige ! se réjouirent les villageois. C'est la princesse ! Elle nous a sauvés !

Blanche aurait voulu aller voir ses sujets, leur assurer que la Méchante Reine ne reviendrait jamais, mais pour l'heure, elle ne pouvait penser qu'à Henri. Elle ralentit en approchant du cercueil. La vue de son bien-aimé, allongé et immobile, l'emplissait d'effroi et de chagrin, mais une étincelle d'espoir vivotait encore. S'il y avait une chance qu'il soit encore vivant, elle devait en être sûre.

Elle souleva le couvercle de verre et posa une oreille contre son torse, comme elle l'avait fait la première fois. Elle retint sa respiration et attendit un signe, n'importe lequel, qui lui confirmerait que « C'est tout comme » ne voulait pas *vraiment* dire « mort ». Si elle détectait le moindre signe de vie, elle irait voir l'enchanteresse sur-le-champ. Mais elle ne perçut rien. Les larmes coulèrent sur ses joues.

— Henri, pardonne-moi.

Elle déposa le couteau dans la poche du prince, puis elle plongea une main dans la veste d'Henri. Elle en sortit le collier de sa mère. Le couteau l'avait protégée, mais le collier ne l'avait pas aidé, lui.

Katherine avait tant aimé son père qu'elle aurait fait n'importe quoi pour lui et leur fille. C'était un amour pur et sincère. L'amour véritable. Était-ce le même sentiment qui naissait entre Henri et elle avant qu'on le lui arrache ? Il était si beau et paisible, allongé là, comme endormi. Blanche éprouva soudain un besoin irrépressible.

— À bientôt, Henri, lui murmura-t-elle à l'oreille.

Puis elle se pencha et déposa un doux baiser sur ses lèvres. Elle se redressa et s'apprêta à refermer le cercueil pour toujours.

Soudain, le prince hoqueta et prit une profonde bouffée d'air, comme s'il était resté immergé trop longtemps. Il battit des paupières.

— Blanche ? demanda-t-il d'une voix rauque.

— Henri !

Elle pleurait maintenant à chaudes larmes. Elle l'aida à s'asseoir et entendit les cris de joie du peuple autour d'eux. Les nains arrivèrent en courant, suivis du roi et d'Anne. Les acclamations se propageaient dans tout le château, puis bientôt dans tout le village, en même temps que l'annonce du réveil du prince.

Henri regardait tout autour de lui, déboussolé. Blanche l'aida à s'extirper de son cercueil.

— Elle l'a sauvé ! pleura Joyeux.

Le prince se tourna vers Blanche, dont les larmes ruisselaient encore.

— Tu m'as sauvé, répéta-t-il.

— C'est l'amour qui vous a sauvé, précisa Prof, tandis que Georg observait la scène avec des yeux embués.

Blanche et Henri échangèrent un sourire, main dans la main.

Oui. Peut-être était-ce bien de l'amour.

Blanche

Quelques mois plus tard…

— Veuillez accueillir Sa Majesté, la reine Blanche-Neige !

Un tonnerre d'applaudissements retentit dans la salle du trône.

Georg était paré de ses plus beaux atours de velours, sa couronne posée sur la tête, là où elle aurait toujours dû rester. Mais aujourd'hui, il la retira et la déposa sur les cheveux de Blanche. Il lui prit la main pour l'aider à se relever, et Blanche se dirigea au bout de l'estrade royale devant les centaines de sujets réunis. Anne était là avec sa mère ; toutes les deux avaient été officiellement intronisées couturières royales. Mme Kindred était venue avec sa famille, qui l'aidait désormais en cuisine. Grincheux, Dormeur, Atchoum, Simplet, Timide, Joyeux et Prof se tenaient au premier rang et applaudissaient à tout rompre dans leurs nouveaux uniformes. Ils avaient été nommés émissaires officiels de la reine. Leur mission était de se rendre de village en village à travers tout le royaume pour discuter avec les habitants et écouter leurs problèmes. Blanche savait que ce rôle leur conviendrait à merveille (quand bien même ils devraient parfois surveiller l'attitude de Grincheux). Après avoir passé tant d'années dans l'obscurité des mines, ils méritaient de vivre en pleine lumière.

Alors qu'elle se tenait devant son peuple et se ravissait de leur joie retrouvée, Blanche eut une impression de déjà-vu. Elle se revit enfant, à côté de ses parents, à cet endroit précis. Et les sentiments qui ressurgirent furent les mêmes : elle se sentait aimée.

Après des mois de transition, elle était libre. Elle était prête. Son père y avait veillé.

La Méchante Reine était vaincue, et tout le royaume saluait ce changement. Blanche et son père avaient passé les derniers mois à réparer les torts causés sous le règne d'Ingrid, et les idées de la princesse pour améliorer la vie des sujets avaient été mises en application. Les frontières avaient été rouvertes, le commerce avait repris. Des voyageurs de tous les pays venaient présenter leurs hommages aux nouveaux souverains et accueillaient chaleureusement la promesse d'échanges fructueux. Les impôts avaient été abaissés à un niveau acceptable. Les fermiers comme les mineurs pouvaient de nouveau profiter des fruits de la terre et de leur labeur. Des mesures de sécurité avaient été instaurées afin que les mines soient plus sûres pour les ouvriers. Des relais officiels avaient été créés pour faciliter la communication entre les villages et les hameaux, de manière à ce que les habitants se sentent véritablement membres du royaume.

Mais le changement le plus important était sans doute la réouverture du château. Ceux qui cherchaient un emploi étaient accueillis à bras ouverts. Blanche sourit aux nombreux visages qu'elle ne connaissait pas dans les couloirs du palais. Les réceptions voulues par sa mère avaient été rétablies : les enfants couraient avec bonheur dans les jardins et s'émerveillaient en observant les oiseaux chéris par Katherine et Blanche. Ils ne vivaient plus dans la volière. Blanche estimait qu'il était temps que tout le monde soit libéré de ses chaînes, y compris les animaux. Elle fut d'ailleurs surprise de voir combien d'oiseaux continuaient de virevolter autour des murs et de se poser sur les rebords des fenêtres royales. En plus de leur liberté, les oiseaux avaient trouvé un refuge. Comme Blanche.

Aujourd'hui encore, l'heure était à la fête. Et cette fois, c'était en son honneur. La princesse perdue ne l'était plus. Elle était désormais la reine.

— Êtes-vous prête à rencontrer votre peuple, Majesté ?

Blanche se tourna vers l'élégant jeune homme au pied de l'estrade. Il portait un veston bleu roi doublé d'une cape rouge. Il était aussi beau que le jour où elle l'avait nerveusement épié depuis sa fenêtre tandis qu'il chantait pour elle. Henri lui offrit son bras. Cette fois, elle n'hésita pas un instant.

— Plus que jamais.

Bras dessus, bras dessous, ils fendirent la foule sous les applaudissements et sortirent de la salle du trône.

— Je vois cela, dit Henri avec un regard de fierté.

Blanche ne put s'empêcher de rire. Il la rendait infiniment heureuse. Elle était au comble du bonheur que le prince ait accepté de rester auprès d'elle. Elle l'avait désigné ambassadeur des royaumes voisins, dont le sien, mais officieusement, il était son cœur, son âme. Elle avait l'intime conviction qu'un jour pas si lointain, ils annonceraient officiellement leur mariage.

Mais pour l'heure, le travail l'appelait.

Ils arrivèrent à l'entrée des jardins, où d'autres sujets les attendaient. Un cardinal se posa sur les marches de pierre que Blanche avait si souvent récurées dans sa jeunesse. L'oiseau pépia gaiement, et Blanche interpréta son chant de la seule manière possible : « Je t'aime. » Sa mère serait toujours auprès d'elle.

— J'ai l'impression d'avoir attendu ce jour toute ma vie, confessa-t-elle à Henri.

L'attente était terminée. Le jour de Blanche-Neige était arrivé.

Et même si ce n'était pas tout à fait un conte de fées, ils vécurent longtemps heureux.